CLUBE DA INSÔNIA

2ª reimpressão / 2015

© Copyright 2012 Tico Santa Cruz

Editores
Gustavo Guertler
Fabiana Seferin

Revisão
Tiago Vinícius Cidade

Ilustrações
Carlinhos Muller

Capa e projeto gráfico
Celso Orlandin Jr.

Dados Internacionais de Catalogação na Fonte (CIP)
Biblioteca Pública Municipal Dr. Demetrio Niederauer
Caxias do Sul, RS

S231   Santa Cruz, Tico
              Clube da Insônia / Tico Santa Cruz;
           ilustrações Carlinhos Muller._Caxias do Sul,
           RS: Belas-Letras, 2012.
              104 p., 21cm.

           ISBN 978-85-60174-93-5

           1. Literatura brasileira. I. Muller, Carlinhos.
           II. Título

                                                    CDU: 869.0(81)

Catalogação elaborada por Cássio Felipe Immig,
CRB-10/1852

[2012]
Todos os direitos desta edição reservados à
EDITORA BELAS-LETRAS LTDA.
Rua Coronel Camisão, 167
Cep: 95020-420 – Caxias do Sul – RS
Fone: (54) 3025.3888 – www.belasletras.com.br

SUMÁRIO

Somos nós a madrugada 09
Eu e ela 10
Nosso sagrado antídoto 15
Sou um pouco de mim 20
Viagem ao fundo do universo 26
Eu vi você 32
Cosmos 35
Carta a mim mesmo 40
Sonho de astronauta 43
Uma colagem em segredos 47
Das coisas que mudam o mundo 50
O agora não pode ser depois 53
Ooooooooooooooooooooooo 57
Aperte o verde 64
Agraciado estava... 67
Paz.exe 70
A visão do gato 78
Memórias de um mundo careta 82
Direto da redação 86
Circo Fantástico 90
Plástico 93
Senado Finado 100

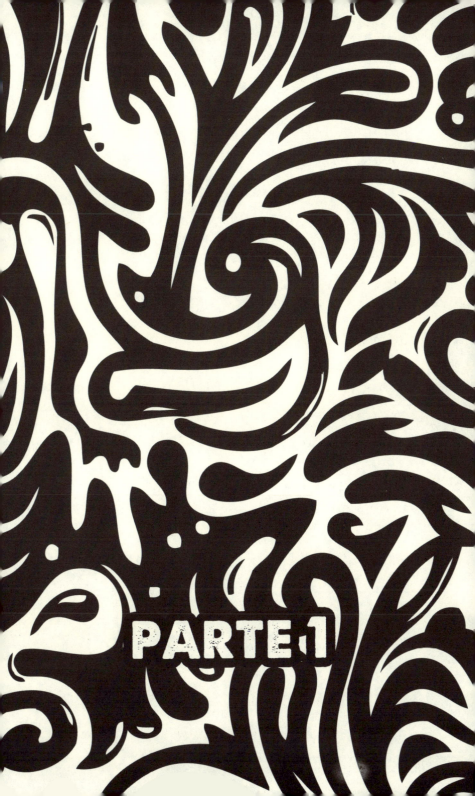

Somos nós a madrugada

Não vou ficar para ver o dia nascer.
A noite me basta.
Sou da noite, gosto das estrelas, da lua, dos planetas distantes, da possibilidade de avistar uma luz vagando pelo céu poluído das cidades grandes.
De, sem querer, ver um vaga-lume piscando por entre arbustos, quando estou passeando por alguma floresta.
O silêncio.
O medo.
A angústia.
Os encontros e desencontros.
A luxúria.

Amo a noite.
Como um vampiro que busca adrenalina.
Bons livros.
Boas bebidas.
Diversão sem hipocrisia.
Loucura.

Abajur, meia-luz.
Velas, roupas espalhadas pelo chão.
Cheiros, toques, gostos.

Sinto-me particularmente bem esta noite.
Espero que estejam se sentindo da mesma forma.
Amor, paz, sexo, liberdade, justiça e fé!

Boa noite.

Eu e ela

Era bem tarde da noite, na verdade, véspera de o sol rasgar o horizonte, quando ela me despertou.

Se você soubesse a confusão que está na minha cabeça nesse momento – sussurrou –, abriria a tampa dessa caixa craniana, arrancava cada miolo, desmontaria feito quebra-cabeça, e montava tudo de novo. Como assim? Assim mesmo. O que há de errado? Tudo está errado, e por outro lado, quando tudo está errado, é o certo que se torna o errado. Estou confuso. Percebe, então, que estamos todos. Estou pensando em voltar a dormir. Desculpa ter lhe despertado tão cedo. Esse processo de despertar é angustiante para mim também... Não queria te despertar, mas veio um aperto tão forte no meu peito. Achei que fosse me faltar ar até para as últimas palavras. Últimas palavras... Quais seriam suas últimas palavras, já parou para pensar nisso?

O despertador tocou. Na verdade, não foi bem o despertador. Havia deixado algumas canções rodando aleatoriamente. Em geral, nem durmo com música, mas havia deitado e estava tão cansado que nem ousei levantar para desligar o som. O despertador veio de um famoso clássico do Pink Floyd. Pouco importa. Meu coração disparou de repente e ela voltou a tentar um diálogo completamente dispensável. Estou realmente sob uma pressão enorme, compreende? Que tipo de pressão? Parece que meu espírito engordou uma tonelada em poucos dias. Como seria isso? É de dentro para fora. Como se estivesse se expandindo? Não. Como se estivesse explodindo. Estranho, nunca senti algo assim. Nem eu, por isso te acordei. Entendo, como posso te ajudar? Apenas me escuta. Escuto, pode falar à vontade. Mas eu falo à vontade e você nunca ouve. Não é isso, te ouço sim, porém, tem vezes que você fala tanto que não consigo entender exatamente aonde vai ou quer chegar.

Levantei e fui buscar um copo de água. Ela continuou falando atrás de mim. Você deveria prestar mais atenção nas minhas coisas. Você deveria ter mais cuidado comigo, deveria me dar mais valor. Eu sinto e pressinto muito do que poderia evitar, mas você não me escuta. Está me escutando agora? Sim, estou. Pode continuar. Estou completamente confusa, com a impressão de que o mundo quer me engolir. Sei que preciso manter a tranquilidade, a calma, a falsa sensação de segurança, mas... Mas... Preciso da sua ajuda. Como posso te ajudar? Sei lá. Para um pouco, tenta perceber o que estou tentando te mostrar. Estou parado.

Bebi o copo de água de uma só vez.

Escuta. Escuto. Te quero bem, porra! Eu sei. Então me ajuda. Ajudo.

Acendi um cigarro.

Você precisa escolher o que quer da vida, cara. Precisa escolher que caminho quer seguir. Por que preciso escolher isso agora? Não percebe que está confundindo todo mundo? Não percebe que está à beira de um ataque fatal? Não percebo. O que percebo é que você, de fato, está um pouco nervosa, um pouco irritada, um pouco sem saber como lidar comigo. Você me abandonou. Como te abandonei? Nós estamos praticamente colados o dia todo. Estar colado não significa estar junto. Não estamos juntos? Não, você anda fazendo coisas estranhas. De que tipo? Do tipo que me faz mal. Estou lhe fazendo mal? Está!

Mais uma tragada no cigarro. Sentei no sofá diante da vista para a lagoa e vi o Cristo parado, estático. Coloquei o rosto para fora e ainda consegui ver os garis pulando no caminhão que corria em direção à próxima estação do lixo. Retornei e continuei escutando.

Eu preciso que você volte a ser quem sempre foi. Como assim? Preciso que volte a fazer o que fazia, a praticar sua respiração, a buscar sua tranquilidade. Não quero. Por quê? Porque estou vivendo uma nova fase da minha vida. Nesse momento não me cabe voltar a ser o que já fui um dia. Nesse momento cabe-me viver o momento, viver cada descoberta, cada nova alegria, cada novo medo, cada nova dor. Não tem medo de se arrepender? Tenho, mas o medo é o combustível dos derrotados; o medo é o que finca as pessoas em suas frustrações pessoais; prefiro arriscar. Mas quem foi que disse para você que arriscar o tempo todo é sinal de coragem? Não percebe que é sinal de coragem também dar passos para trás, e que somente os estúpidos e ignorantes andam para a frente sem saber exatamente para onde estão indo? E quem disse que não sei para onde estou indo? Sabe? Sim, estou indo atrás da minha história. Que história? A história da minha vida; cada vida é uma história. E não percebe que faço parte da sua história? Claro que percebo. Estou aqui em um diálogo profundo com você exatamente por assumir que muito do que fiz e sou é reflexo de nossas conversas, nossos acordos.

Mas você não tem me ouvido muito ultimamente e isso tem te deixado aflita, confusa. O fato é que muito mudou aqui dentro de mim, entende? Não é que deixei de te ouvir; é que estou escutando com um novo ouvido, olhando com um novo olhar e jamais renegarei sua função em minha vida.

O tempo estava realmente passando rápido e as pessoas começavam seus ruídos matinais. Arrastando seus pés em direção às suas funções. Não canso de ver como elas andam de um lado para o outro como formigas, só que formigas me parecem mais objetivas e obstinadas.

Escuta. Escuto.

Vamos ficar numa boa? Estamos numa boa. Não estamos, não. Preciso da sua atenção. Tem toda a minha atenção. Preciso que me escute um pouco mais. Nunca é o suficiente, não é mesmo? Não. De fato, o suficiente é abstrato demais. Então, como faremos?

Liguei o chuveiro e deixei a porta aberta. O barulho da água batendo no chão me deu um ar mais displicente.

Veja. Vejo. Está diante desse espelho e o que consegue enxergar? Enxergo um ser humano com defeitos e qualidades, virtudes e falhas, um ser como qualquer outro ser. Não é qualquer outro ser, é você! Sim, e então? Então preste bem atenção no que vou te dizer agora: eu sou a sua consciência e, a menos que jamais queira dormir em paz novamente, passe a me escutar com mais atenção. Isso é uma ameaça? Não, de maneira alguma. É uma constatação. Você tem razão, mas escute você agora. Escuto. Você é minha consciência e de você quero a percepção de que, para vivermos em harmonia num lugar onde consigamos prosperar, precisaremos compreender um pequeno detalhe. Qual? Sou um estúpido sem você e você não existirá sem mim. É verdade. Sendo assim, façamos um trato. Pode mandar. Passo a escutá-la mais e você passa a perceber o mundo com as transformações que me fizeram ver as questões de forma diferente. Não me congele. Entendi. Estamos os dois confusos, mas podemos resolver isso com um pouco mais de inteligência e racionalidade. Quando escolhi por você no meio de tantas outras opções, foi porque acreditei que escutando e tendo-lhe como aliada, faria dessa existência uma existência mais útil. Viver sem consciência deve ser mais confortável, sem dúvida. Pois deve ser mesmo. Olhe agora lá para fora. Quantos deles estão conscientes? Não tenho a menor ideia. O mundo é assim. Consciência não é um remédio que se compra no mercadinho; consciência é entender que dentro de você existe uma voz que se preocupa com os demais, mesmo que os demais não se preocupem com eles mesmos. Se você não é capaz de fazer uso da sua consciência e gerar as transformações que quer lá, aqui não serve pra nada todo esse nosso blá, blá, blá. Acabei o banho, me vesti novamente, abri a porta e entrei com tudo no mundo.

Agora com uma nova consciência: a consciência da consciência.

Nosso sagrado antídoto

O sexo, o amor, os dias de sol, as noites de lua cheia de cor laranja. As ondas e as ondas... As luzes do Vidigal, as pistas vazias, os bares cheios, as criaturas da noite, as músicas antigas que tocam no dial. As lembranças boas e todas as coisas que deixamos de fazer por opção e não por obrigação. Os cheiros de fumaça do capim queimando. As crianças brincando, o som dos pássaros ao amanhecer.

As conversas que só terminam quando o sono nos carrega sem que tenhamos mais consciência do que estamos falando. Nossos amigos, as provas do dia seguinte que esquecemos de estudar, a recuperação no fim do ano. O primeiro porre, o primeiro beijo, a primeira gozada. A namorada que não sabe que é a namorada, as meninas no banheiro trocando de roupa. O futebol de fim de semana. O aniversário da tia chata. A peça de teatro que timidamente encenamos na escola. O frio na espinha quando avistamos alguém que nós gostamos de verdade. Os amigos que não vemos há anos e que nunca perdem o sabor da velha amizade. As noites de videogame, a dor no saco depois do sarro com a garotinha safada da vizinhança.

Os filmes de terror que não nos deixam dormir depois. As histórias sinistras e lendas que aprendemos a contar da nossa maneira. O dia de chuva que vira um grande banho de mar, os berros para acordar os vizinhos. A primeira vez que reunimos uma banda para fazer um som. As dúvidas e certezas. A brincadeira do copo. Beber água na bica e ouvir que você pode pegar doença. O machucado no joelho, a adrenalina de *dropar* de skate pela primeira vez sem capacete, o entusiasmo da primeira manobra conquistada. A dor do tombo. O medo do mar grande que vai ser enfrentado... As borboletas voando, os discos voadores.

A primeira baladinha, as matinês do domingo. Os papos sobre os peitinhos que tivemos a sorte de passar a mão. Os trabalhos que não fizemos, mas que por boa vontade dos colegas acabamos assinando o nome. O trote na faculdade, a febre de 38 graus, o primeiro amor, a primeira trepada, a primeira sensação de que fazer sexo é bem diferente quando existe um sentimento mais intenso do que só o tesão. O carinho, as mãos no cabelo da mulher amada. As dúvidas sobre o futuro, a prova de autoescola, a carteira de motorista na mão. A vontade de ultrapassar os limites, a rebeldia sem motivo, o desejo de correr pelado pelo corredor. A madrugada na janela vendo a vizinha gostosa do segundo andar com o namorado. A tentativa de arrumar um emprego, os conflitos de família. A sorte de encontrar alguém que saiba resolver seu problema na hora em que você estava quase desistindo de continuar. Os personagens que criamos para conversar nas salas de bate-papo da internet, um amor virtual, os sites de putaria. O não-reconhecimento de alguma ação que consideramos importante e a seguida frustração passageira que nos assola quando chegamos à conclusão de que só nós percebemos o valor dela. Os passeios a cavalo. As mentiras que não prejudicam. Os telefonemas mudos. A perda da inocência, a vontade de mudar tudo. O sofrimento com o sofrimento alheio. A sensação de ódio diante da política, a broxada no momento errado, a vista da janela de um dia triste em que nada mais resta. O recomeçar! O livro que te emprestaram e nunca mais retornou ao seu dono. Os cachorrinhos brincando. A malícia do gato. O susto com o pesadelo à noite. A insônia, a ansiedade, as alegrias que queremos que não tenham fim.

O banho de banheira, a novidade que já não é mais novidade pra ninguém, a piada da qual esquecemos o final. A canção que nos traz de novo o lugar, a pessoa, o cheiro, o gosto. As "traições", a descoberta da falsidade humana, o desamparo, a insegurança, a dor da perda do amor...

A esperança por dias melhores, as noites de solidão. As lágrimas pela pessoa que não te quer. A vontade de mandar o mundo inteiro tomar no cu. A troca de olhares proibidos, a tarde vendo os filmes reprisados na Globo. O desejo de ser alguém importante. A satisfação de ser importante para alguém. As viagens de férias, a diversão sem fim, os beijos roubados (incrivelmente percebo nesse momento que existe uma sintonia entre meu texto e o sol que inunda minha varanda aqui em Araras, nos momentos em que escrevia coisas boas, o sol brilhava *risos*, e quando me referia a coisas não tão agradáveis ele se escondia nas nuvens). O carnaval na TV, de madrugada, os bailes que participamos e o número final na disputa entre amigos para saber quem "pegou" mais mulheres. O churrasco da faculdade. A infinidade de argumentos que tentamos usar para seduzir aquela baranga num certo fim de noite que nada deu certo e o NÃO que levamos para casa, o sorriso no caminho certo de que era melhor ter escolhido uma só para se divertir... As árvores perdendo suas folhas no outono. As primeiras coloridas, a fumaça com cheiro bom no ar, o incenso, os filmes proibidos, os livros que mostram algumas verdades que escondem da gente, as novas dúvidas e certezas, algum arrependimento.

Todos os dedos cheios de cola, as brincadeiras no escuro, Gato mia, Verdade ou consequência, Salada mista.

A descoberta de que vamos ter um filho, as novas dúvidas e incertezas, a insegurança e os medos que são vencidos pela confiança que recebemos por parte dos amigos e das pessoas mais próximas, a alegria de saber que vai se tornar pai, a espera eterna pelos nove meses, as descobertas, as movimentações do moleque dentro da barriga da mãe, os conflitos internos, as brigas por ciúmes e as besteiras que são ditas e depois desculpadas com uma boa dose de amor e carinho. A hora de ir até a maternidade, o momento do parto... A loucura toda que vem à cabeça, a luz que vem do céu e ilumina a coisinha mais importante que recebemos no mundo. A vontade de fazer feliz, a sabedoria e os novos aprendizados, as novas lições... Os dias e noites sem dormir... Os primeiros sorrisos, as primeiras brincadeiras, as lágrimas de fome, as cólicas infernais, o cabelinho crescendo, a voz, o cheiro, o amor incondicional, a saudade, a vontade de agarrar com toda a força do mundo.

O mundo!

O crescimento espiritual, o reencontro consigo mesmo.

A vontade de fazer tudo dar certo sempre. As cobranças, as vitórias, a fé, o desejo de fazer o bem, o desejo de ver as pessoas sorrindo.

As loucuras que não precisam ser explicadas, o contato com a mente em transmutação, a expansão da sensibilidade...

Os caminhos tortos que acabam sendo corrigidos com um pouquinho só de tranquilidade. A harmonia e as desavenças normais de todas as relações. A intenção de ensinar algo para alguém especial.

A voz chamando "papai" no telefone, o sorriso sincero, as palavras que estão sendo ditas pela primeira vez, as referências novas, os discos antigos, as condições do tempo no jornal, os dias de sol... As noites com a lua escondida... A vida vai passando e o que sobra são as recordações boas... O que realmente fica para a gente é a riqueza das coisas que vivemos, as lições, as derrotas e vitórias... As músicas... As riquezas espirituais.

Essas, ninguém tira da gente!

Cada um faz seu caminho... E na hora em que estamos nos sentindo estranhos, uma boa maneira de voltarmos à frequência que nos traz alegrias é tendo recordações boas e rindo das ruins!

Viva seus momentos sempre e guarde-os com quem guarda um tesouro importante, um antídoto contra a depressão e a tristeza.

Com certeza a alma se sentirá mais forte e mais preparada.

Quem tem medo de fazer passa a vida toda se lamentando e falando mal de quem fez!

Sinto-me mais leve!
Beijos e abraços.

Sou um pouco de mim

Acho que na outra encarnação me privaram das palavras.

Sinto tanta necessidade de falar, que às vezes creio que carrego comigo um trauma de outra vida.

Tenho que me controlar mesmo!

Preciso parar de dar explicações para tudo, de tentar responder a todos.

Já me senti um boçal muitas vezes.

Não sei se tenho medo do silêncio, ou se meu espírito vagou por tantos lugares, que fica nessa ansiedade de viver a vida e mostrar as coisas a quem, muitas vezes, não merece um segundo de atenção.

Não sei se sou carente de mim mesmo.

Não sei se por que, quando fui adolescente, ninguém prestou atenção em mim, hoje gasto toda a atenção que recebo.

Sinceramente, preciso me calar um pouco.

Isso não quer dizer que vou me tornar um ser omisso, ou mesmo mal-educado.

Também não significa que vou deixar de me expressar...

O que tenho que controlar mesmo é o excesso.

Todo o excesso faz mal.

Agora, por exemplo, não precisava estar expondo isso.

Muita gente que nem conheço vai ler e comentar o que estou escrevendo.

Coisas sobre a minha vida que nem precisava contar...

Mas eu cismo em manter minha mente trabalhando e ela gera uma necessidade enorme de colocar para fora o grande volume de informações que passa pela minha mente, e quando eu vejo, já foi tudo!

Risos

Está um silêncio danado aqui, agora.

Só estou ouvindo o barulho de uma fonte de água que tenho...

Todo mundo já foi dormir e estou, mais uma vez, na minha companhia.

Talvez uma terapia pudesse me ajudar, mas tenho medo de perder minha inspiração.

Fico vagando por vários planetas diferentes, e tentar controlar essa loucura pode ser arriscado.

Posso voltar para onde tudo começou e me calar novamente por mais mil anos!

Pelo menos uma coisa eu tenho de bom...

Preocupo-me, no mínimo, com o conteúdo das coisas que estou falando.

O que não quer dizer que seja o cara mais inteligente do mundo... "Oh! Como ele é interessante!" – *risos*

Mas não sou um idiota que sai disparando sua metralhadora descontrolada de bobagens por aí.

São tantas as coisas que sinto vontade de escrever, que acabo me esquecendo o que queria de fato colocar aqui!

Desde a minha infância, nunca parei mais de dois anos no mesmo colégio.

Não tive muitos amigos por conta disso, no entanto, sempre tive a facilidade de comunicação, mesmo não sendo levado a sério – *risos*.

Passei por uma infinidade de escolas...

Pequeno Príncipe

Colégio São Paulo

Colégio Veiga de Almeida

Colégio Anglo-Americano

Saint John

Bahiense

Centro Educacional da Lagoa (CEL)

UFRJ (Ciências Sociais)

Faculdade Estácio de Sá (Comunicação)

Faculdade Estácio de Sá (Educação Física)

Vaguei muito...

Colégio particular... Meu pai trabalhou muito...

Tive o privilégio de conhecer os melhores do Rio de Janeiro.

Mas foi na rua que conheci meus amigos de verdade.

Foi na rua que acabei aprendendo a respeitar as diferenças de cor, classe social, religião.

Em escola de padre, eles te ensinam que a religião Católica é a certa e os macumbeiros são perigosos – *risos*.

Em escola de rico, normalmente tem aquela turminha que tira onda com a cara do negro, que é minoria nesses lugares...

Você tem tudo para se tornar um ser preconceituoso, fútil, mesquinho... Além de aprender, logicamente, muito bem, Português, Inglês e a soltar bomba no banheiro da escola...

Tive sorte de, numa briga de rua, conhecer meu melhor amigo.

Um negro de classe média, filho de pai afro e mãe branquinha como leite!

Ele acabou com a última possibilidade que existia de eu ser um playboy, filho de papai, que tira onda com a cara dos outros e faz um monte de merda por aí.

Pow... Perai...

Já fiz muita merda sim!

Muita merda de verdade... Fui expulso de três escolas.

Muitas besteiras por total infantilidade, nunca visando prejudicar alguém...

O que não justifica, por exemplo, jogar ovo do décimo sétimo andar, num condomínio de luxo da Barra da Tijuca, às 8 horas da manhã, quando todas as turmas do colégio Anglo-Americano estavam reunidas para cantar o Hino Nacional no pátio da escola, e ter a sorte de não acertar ninguém na cabeça...

É preciso ter sorte também.

Peguei onda. Pichei muro (que vergonha que tenho disso hoje), andei muito de skate, joguei futebol, não aprendi a soltar pipa e nem a rodar pião.

Ouvi muito rock, muito hip-hop e muita coisa boa da música brasileira.

E me tornei essa mistura muito louca de vários tipos de escolas da vida.

Convivi com todo tipo de gente.

Com bandidinho de torcida organizada, com playboyzinho metido a lutador, com morador de favela, com surfista, com morador de condomínio de luxo da Barra da Tijuca.

Dei muito calote em ônibus depois da escola.

risos

Fui preso por desacato à autoridade no apitaço no Posto 9.

Fiz teatro.

Fui animador de festa.

Fui sorveteiro.

Fui rico.

Fui despejado duas vezes – *risos*.

Fui segurança de artista famoso.

Vou continuar fazendo minha vida...

Não sei quando vou usar este espaço para me abrir de novo (que coisa horrível falar assim – *risos*),

Mas confio em Deus e em meus protetores.

Tenho fé e respeito.

Estou aprendendo muito, principalmente a ter respeito!

O respeito é tudo!

Quando comecei a escrever ainda era madrugada!

Na verdade, ainda é!

Mas, acho que, por enquanto, é só!

o

Viagem ao fundo do universo

Parecia que não ia acabar nunca,
mas aprendi a viver o que tenho que viver.
No meu caso, a escolha foi não fingir que nada estava acontecendo,
estava realmente passando por coisas estranhas,
tendo sonhos estranhos,
algo me dizia: "Viva os momentos, tire proveito de tudo, não tenha medo, até da tristeza é possível se perceber algo bom. Todas as angústias têm um porquê, a dor no peito, entre o coração e o estômago, é realmente insuportável por segundos, mas vencê-la é ainda mais incrível e animador".

Quando me notei dentro do furacão, parei de me debater feito louco e rodei, rodei, rodei até que meus olhos conseguissem perceber o que estava rodando junto comigo. Parecia que o ato de lutar contra, pela simples razão de não conseguir perceber como é sublime estar num momento de desconforto, pudesse ser uma solução.

Logo eu, que sempre fui tão forte, que sempre busquei argumentos e explicações lógicas para tudo.

Não aceitava me olhar no espelho, olhar o mundo em volta e não achar graça nas coisas tolas que as pessoas me diziam, não queria ser simpático ou sorridente o tempo todo, simplesmente porque também tenho meus momentos de baixa energia, minutos em que preciso estar de frente com todos os meus problemas internos, com minhas inseguranças, medos, revoltas, questionamentos. Para que tapar o sol com a peneira?

Encontrar conforto no desconforto foi fundamental para que pudesse rever o caminho da luz. E a luz só brilha porque existe a escuridão.

Para ter a sensação de que estamos felizes, precisamos ter a de que estamos tristes. Não é possível se viver só no sol. Sem a noite, não conseguimos perceber as cores lindas de um dia de verão, as flores colorindo a estação, as crianças sorrindo. O mal é necessário para que possamos entender o bem!

Para se fazer escolhas é preciso conhecer as opções.

Para conhecer as opções, muitas vezes é interessante vivê-las por dentro, sentindo a vida pulsar.

Sentir-se vivo não é só viver o dia todo fazendo tudo e qualquer coisa.

Sentir-se vivo é perceber como existem milhares de universos acontecendo ao seu redor sem depender de você para nada!

Observar esses mundos de fora é muito divertido.

Eles existem e pronto.

Sempre existirão coisas que nos incomodam, um caminho para que elas não nos causem danos é entender o mecanismo que as faz gerar algum efeito nos nossos corações. Ao conseguir mapear seu funcionamento, elas vão perdendo os significados, os sentidos e logo, logo passam a não existir mais em nossas vidas.

Foi o que observei nesse período em que vivi.

Estava tão complicado dar um sorriso sincero.

Por que precisava entregá-lo então?

Agradar os outros só por agradar é como jogar um presente em cima de alguém sem que esse presente signifique nada.

Um agrado só deve ser feito quando tem a intenção de ser realmente um agrado.

Quando vem de dentro.

Para vir de dentro é preciso que seus canais estejam limpos.

Para limpá-los é necessário que tenhamos a consciência de que eles se sujam...

Quando achamos que não, a sujeira vai entupindo, entupindo e logo não passa mais nada. Nesse instante entramos em contato com a nossa falsidade, com nossas mentiras, porque já estamos tão acostumados a fazer por fazer, que os sentimentos passam a não interferir mais nas ações, enquanto que, na verdade, eles devem ser a mola que impulsiona qualquer atitude.

O que mais tem esse planeta é gente vagando no automático.
Fazendo por fazer. Estando por estar.
É muito fácil estar assim, não exige nada!

Nesses dias de breu, me perdi.
Aquilo deu uma sensação horrível de impotência diante da vida.
Por outro lado, meus mecanismos de defesa estavam à flor da pele, tentando encontrar soluções rápidas para a fuga.
Vi-me dentro de um sistema viciado, que quando se sentia ameaçado, disparava um alarme, e logo me despertava para algo que estava vivendo como se fosse um robô.
Sabotei-me!
Desliguei o alarme antes que ele fosse acionado.
Resolvi ver o que aconteceria se ignorasse todas essas defesas que, há muitos e muitos anos, vinham me protegendo.
Corri o risco, mas corri consciente.
Sabe o que vi?

Um mundo, uma infinidade de outras vidas dentro de mim mesmo.
Sedentas por um pouco de atenção.
Estavam sendo ignoradas por minha maneira egoísta de querer só um caminho para resolver tudo.

Sabe o que acontece quando sempre damos o mesmo remédio para uma infecção? Ela fica mais forte!

Você vai tendo que aumentar a dose e vai se afundando nisso até que mais nada faça efeito, e quando acontece, insistir no mesmo método de cura é o mesmo que assinar a sentença de morte.

Pensei...
Foda-se! Vou ver o que vai acontecer.

Vou ficar triste, vou viver minha depressão, mas não vou me colocar como vítima do destino ou como se fosse incapaz de resolver, culpando quem estava por perto ou arrumando algum argumento para justificar a minha falta de coragem para encarar os fatos. Esse é o caminho mais fácil de encontrar uma razão para momentos assim. Culpar alguma coisa ou alguém.

Assumir o que estava acontecendo, de igual para igual, foi como mergulhar no mar que antes me afogava e abria os olhos, nadar junto com o mundo infinito que existe debaixo da água, com os perigos e com os prazeres, me encantar com os peixes pequeninos e olhar nos olhos dos tubarões, subir para tomar um pouco de ar e logo mergulhar novamente, ainda mais fundo, nadando e aprendendo muito com o que antes me causava pavor.

Hoje, me sinto melhor.
Sinto-me mais preparado.
Sinto-me mais forte e mais feliz.
O mar, ao qual me entreguei, ainda tem muitos mistérios a serem descobertos.

Por hora, volto para a terra e vou usufruir o que aprendi nos dias submersos.

Os novos valores, os novos pontos de vista...

Logo, se por acaso for puxado de volta ao fundo, tenho certeza de que vou conseguir manter a calma e encontrar novas opções para o eterno aprendizado que a vida neste planeta exige.

Abrir os olhos às vezes é complicado.

A luz pode cegar, mas se tiver coragem, logo, logo estará vendo o mundo por um ângulo mais interessante.

Estou abrindo as portas sem medo.

Vou continuar a minha busca!

PS: Embarcar nessa viagem pode mudar muita coisa, inclusive algumas verdades que antes eram inabaláveis. Se estiver satisfeito com o que tem, não se arrisque tanto. Mudar significa abrir mão de alguns comportamentos, atitudes e convicções. Busque sempre o melhor!

PS2: O melhor para você!

PS3: Vivenciando novas experiências, não se cobre mais para ser igual ao que era antes!

Sorte na de vocês!

Tudo de bom, sempre.

Eu vi você

Algumas pessoas te fazem perder o ar.
Deixam você desnorteado.
Tipo adolescente que se encanta.

Algumas pessoas têm um brilho diferente.
Trazem uma energia mais forte.
Deixam qualquer um confuso.

Existe gente que, quando chega, faz tudo parar.
Embaralha os pensamentos
e pode ter um texto lindo decorado a ser dito...
Essas pessoas te deixam:
sem palavras...
sem gestos...
feito uma criança precisando de carinho.

Criaturas que vagam à noite...
Aparecem e desaparecem na mesma velocidade.
Trazem guardadas sensações misturadas
de desconforto e prazer.
Salvam você das trevas.

Estranho, não?

Quem nunca se sentiu assim?

Meio que por acaso.
Estando na mesma latitude e longitude.

Num determinado momento...
Deve existir uma explicação...
No mínimo racional... Ou não.

Ai você rema, rema, e luta para desvendar...
mas é um mistério.

Existem pessoas assim...
E a gente às vezes nem desconfia... certo?
Mas elas estão lá, cativantes, dia a dia.
Conquistando, por direito, territórios importantes...

Conseguem se destacar em qualquer lugar...
Têm o domínio das ondas do mar...
Flutuando feito sereia...

Acreditem!
Estou falando porque sei, e quem não sabe?

Pode fazer mapa astral.
Tentar descobrir seu futuro.
Tentar a sorte.

Se essa pessoa passar por você,
não deixe isso barato.
Abraça e veja o que sente...

Se o coração acelerar,
fica esperto...
Se a respiração ficar ofegante,
Ih!

Sinto muito, amigo.

Existem pessoas assim.
Elas têm o poder.
Controlam a mente à distância.
Controlam a imaginação.

Você para e fica lá...
horas viajando.

Pega avião, trem, barco... e em quem você pensa?

Pense nisso!
Você pode ser esta pessoa para alguém.
E se alguém for esta pessoa para você.
Tenha certeza de que vale a pena.
descobrir se vale a pena.

Acredite!

Experimente!

Experimentar é a palavra, afinal.
Se fluir com você.
Sorte de nós dois.

Cosmos

O que dizer da solidão?
De ficar atento a todos os movimentos na calçada.
De ver um filme antigo e dar risada.
De ligar para alguém às duas da madrugada
e não dizer nada.

Faça um teste, meu amigo.
Ele é o abrigo.
Não existe algo além,
só você e mais ninguém.
Consegue se suportar?
Consegue aguentar calado?

Existe gente sozinha nesse instante
precisando de atenção ou não.
Cada um tem uma solução,
uma reação,
uma condição diferente,
um segredo, um antídoto,
uma esperança, um presente.
Um passado sem futuro.
Preso num quarto escuro,
ouvindo som ou em silêncio absoluto,
em paz ou de luto,
capaz ou covarde.
A solidão é enfrentar a verdade.

Sozinho com seus pensamentos.
Todos os seus fantasmas e tormentos.
Todas as dores e lamentos.

Mas também a chance do reencontro e da revolta.
É quando o espírito se solta.
É quando o pranto acalma.
A solidão é um mar a ser navegado sem medo.
A solidão limpa a alma.

Estou sozinho aqui, agora.
Não tem barulho lá fora.
Não me sinto mal assim.
Tenho me suportado ultimamente.
Tenho enfrentado as consequências.
Sinto saudades e antes nem sentia,
Troco a noite pelo dia.
Troco o sol pela lua.
Consigo andar pela rua,
vagar estrelas,
consigo me contentar em não tê-las.

Sinto falta de carinho.
Sinto carência como qualquer humano.
Às vezes, me perco e me acho de novo.
Às vezes, entro pelo cano.

Aprendi a me concentrar e espantar pensamentos sujos.
Estou aprendendo a cada minuto.
Longe das paranoias
eu luto!

Luto para corrigir e me descobrir pouco a pouco.
Encaro minhas loucuras,
Seria louco
se não fosse tão comum.
Seria normal
se não fosse só mais um.
E entre tantos milhões de corações e cérebros atormentados;
entre tantos que sofrem calados;
entre outros que fingem viver sem ela;
entre o rico e o miserável na viela;
entre a favela e o asfalto;
até no castelo mais alto
existe alguém sozinho.

Quer saber quem de fato é?

Senhoras e senhores,
Estamos girando no espaço!
A solidão é quem dá o compasso.
Faça dela uma notável aliada
e depois de tudo,
Descubra um amor perdido
e redobre o sentido.

Para ser feliz com alguém,
é preciso se suportar.
É preciso não jogar a responsabilidade na companhia alheia.
É necessário ouvir o canto da sereia
e não se jogar no mar.

Oi?
Sorte.

CLUBE DA INSÔNIA

Carta a mim mesmo

Sufoque essa tua paranoia. É paranoia. Esse medo estúpido. É reflexo da culpa. Você conhece o mecanismo. Está se sujeitando a ele novamente?

Acredite na sua força interior. Nesse motor que nunca te deixou na mão. Perceba o universo conspirado a seu favor. Não tenha receio de arriscar. Esse medo é tolo. Devemos ter respeito por alguns limites, para outros devemos ter coragem. Devemos conduzir nossas angústias a algo que nos proporcione um novo ponto de vista. A sede do conhecimento. Você já sabia que muitos iriam virar as costas, mas imaginou que conseguiria manter tantos outros por perto? Imaginou que eles se identificariam com sua luta, com a forma que você joga o jogo, com a maneira que expressa os pensamentos, com a lucidez que lhe permite participar do esquema sem se contaminar com a parte podre de tudo isso?

Reconheça. Conseguiu transcender. Consigo sobreviver aos ataques. Foram fortes combates. Alguns de forma desonesta, de maneira covarde. Você continua aí, firme e forte. Consegue manter a cabeça erguida. Olhar os outros nos olhos. Têm seus problemas, suas crenças, seus defeitos, como qualquer outro ser humano. Quantos nesse planeta encararam a batalha e lutaram por seus sonhos? Quantos podem bater no peito e dizer: "Consegui conquistar boa parte do que objetivei na vida." Quantos?

Você pode. Bata no peito com orgulho e reconheça seu valor interno. A força espiritual que te guiou na escuridão, o contato com o lado escuro da sua alma, que também se fez e se faz necessário porque o mundo não é feito só de luz. Há sombras. Lidar com sua própria maldade, com o lado negativo, com os sentimentos destrutivos e necessários. Quem busca perfeição se ilude. Devemos reconhecer que temos emoções e orientações malignas; o que não podemos é deixar que elas prevaleçam. Devemos tê-las sob um olhar crítico e não permitir que dominem nossos sentidos.

Faça um exercício íntimo. Feche seus olhos e tente perceber onde chegou. As sementes que plantou; os frutos que colheu. As batalhas que venceu, os aprendizados com as derrotas. Tudo isso é bagagem a ser considerada. Temos que deixar algum rastro para que outras pessoas possam se inspirar. Isso é de fundamental importância na continuidade de ideias que não estão sendo oferecidas ao senso comum. É importante que alguns, mesmo que poucos, possam ter essa referência na fé de que é possível, sim, realizar-se. Que não se deve ter culpa com a felicidade, com o prazer, com a quebra de pequenas regras e com o enfrentamento de paradigmas de atraso.

Não ligue para as ofensas, para os que, em sua incompetência, não podem oferecer mais do que o desejo do seu fracasso. Faça dessa energia opositora mais um combustível para novos desafios. O risco é necessário. O desconforto é necessário, tira da inércia, modifica a realidade, transforma a percepção. Quanto mais atento e sagaz estiver para identificar motivações e julgar seus impulsos, mais consciente estará de suas capacidades individuais, melhor estará preparado para colaborar com o coletivo.

Estudar sempre. Ler compulsivamente. Ser capaz de se divertir e capaz de descansar. Capaz de dialogar, capaz de amar, de se entregar, de compreender o medo, a paranoia, as limitações daqueles que te amam. Oferecer o que conseguir de melhor aos que te defendem, aos que lutam ao seu lado. Trata-se de lealdade e respeito. Não tem absolutamente nada a ver com os padrões tradicionais e hipócritas. Tem a ver com atitude e consciência.

Deixe a paranoia no lugar dela. Deixe-a fazer o papel de paranoia. Identifique-a e neutralize com uma respiração profunda.

Quando chegar a hora de partir, terá deixado um legado de coragem aos que lhe seguiram, aos seus filhos e a sua família.

Vá! Faça! Aconteça!

Não se cale.

Sonho de astronauta

A lua hoje estava tão linda
Não tive tempo de parar para contemplá-la
Meio alaranjada
As nuvens não conseguiam escondê-la
Um brilho assim, meio perdido
Em um escuro bonito
Com o mar inteirinho a seu dispor
Maravilhosa na cor
Tão bela quanto o amor.

O amor às vezes lembra a lua
Com fases bem definidas,
princípio, meio e fim
Pelo menos, comigo é assim
Momentos de extravagância,
extrema elegância
e outros em que o melhor é sumir por trás das nuvens
Desaparecer... se perder na imensidão do espaço sideral
Nada mal...
Depois reaparecer ainda mais bela
Iluminada, amarela... tão ardente quanto o sol

A lua hoje estava diferente
Não me lembro da última vez que a vi dessa maneira
Marcando bobeira
Namoradeira
Encantadora

Me fez sonhar
Me fez sorrir... lembrar... de seguir
De buscar... para conseguir
um lugar... para onde ir
como ela mesma faz todos os dias
dando voltas em melodias
inspirando os que acreditam no seu poder de sedução
eu não, meu irmão!
Eu não sei ser como ela

Talvez se eu pudesse dar umas voltas no espaço
e esquecer todo o cansaço
manipular a natureza, sem pensar nem ter certeza
Sem sentir, nem mentir... simplesmente estar lá
Todos os dias sem cessar
Uma hora no oriente
Outra hora, incidente,
vez ou outra, meio quente
descendente ou ascendente
como a luz que cega a gente

Vou construir uma nave
Controlar os fluxos de hidrogênio
Fazer valer a propulsão
Explodir na imensidão
Controlar meu coração,
viajar sem direção
só voltar quando estiver realmente anestesiado
sem cobrança e nem pecado
Como deve ser na lua!

Sem gravidade
Sem a gravidade
Sem a maldita liberdade
Que por aqui, custa tão caro

Por lá, não deve fazer a menor diferença
não existem regras, nem leis
Não existem plebeus, nem reis
Não existe essa loucura toda que nos cerca

Um dia eu vou para a lua
Não volto nem tão cedo
Pode ser que eu tenha medo,
mas vale a pena arriscar

Um dia eu chego lá!

Uma colagem em segredos

Talvez você queira que eu mude porque lhe angustia a minha angústia e a verdade pode ser que, por me amar, esse meu sofrimento doa em você primeiro. E eu entendo quando me pede calma, pois talvez seja a calma que lhe falta para perceber que aquele mundo inocente que a gente conheceu quando criança já não existe mais, desapareceu quando passamos a desejar o que não era nosso. Talvez por conveniência eu possa ter lhe dito algumas mentiras e, quando me restou apenas a verdade, inventei um novo motivo para acreditar em mim mesmo e lhe ofertar segurança para que pudesse fechar os olhos e não ter nenhum pesadelo. Talvez você possa ter percebido, mas hesitado em esmiuçar minhas palavras para não encontrar aquele outro de mim que você odeia tanto.

Pois esse amor que nos orgulhamos de ostentar é, antes de mais nada, o amor que temos por nós mesmos. O seu altruísmo guarda para seus filhos e, quiçá, para seus pais. Não é que você não goste de me ver com problemas; é que talvez esses problemas possam abalar suas estruturas mais íntimas e aquela força bruta que surge quando ergo meu peito, talvez seja apenas uma fantasia que vesti para me proteger no meio de tanta fuga. Ver as pessoas fugindo pode me parecer um quê de solidariedade, e ao identificar meu medo no medo delas, talvez me esconda atrás de significados que façam pouco sentido para quem me observa de longe.

Talvez você preferisse que eu trilhasse o caminho do conforto, pois as facilidades, quase sempre, nos passam a sensação de que estamos no caminho certo e, quem sabe, não enxergue em mim um inimigo de mim mesmo, que vive sabotando as nossas chances de felicidade. Talvez quando me olhou de longe, tenha lhe parecido mais belo e inteligente, e é possível que ao chegar mais perto, tenha percebido que sou tão comum quanto você.

Acho que nós seguimos juntos, porque há uma atração entre o que você deseja que eu faça e o que lhe ofereço, e essa quase sempre frustração, de alguma forma, alimenta o seu ego sedento por "sins" e cobertos de razão.

Talvez já não me leve a sério, e quando tento ser divertido ou engraçado, rio de mim somente por educação. Talvez esteja agora exagerando e de fato você goste disso mais do que sou capaz de reconhecer.

Posso ter sido um grande idiota em diversas oportunidades, e posso ter errado no intuito de lhe agradar. Posso também ter exagerado quando já era suficiente, e posso ter sido breve quando queria de mim a imensidão. Sem dúvida, acertei algumas vezes, e, por tantas outras, não fui melhor do que pensou que poderia ser. Contudo, quando estive presente, era provável que nem estivesse aqui e quando andei por outros caminhos, a saudade tenha batido em mim com tanta força que fui incapaz de admitir.

Talvez possa amadurecer algum dia e rir de tudo isso, ou talvez possa morrer sem perceber quem realmente fui. Mas deixo aqui um presente, bordado em digitais, com o respeito que sempre tive por você e que teimei em demonstrar que não.

Pode ser que tenha escrito isso tudo ao reconhecer que estava certa ou, quem sabe, esteja tudo tão confuso que eu só precise chorar um pouco. A luz que agora me cega pode banhar essa escuridão e o tiro que o alvo acerta pode ser prova do erro quando for lavar as mãos.

Nem tudo o que se colore em drama tem nuances reais de sofrimento. Talvez, meu amigo, possa estar feliz por dentro.

Ou talvez você tenha sido superior e relido os meus pensamentos antes mesmo de serem pensados. Talvez seja seu inimigo e também seu aliado. O fato é que, além disso, existe um bocado e vou guardar em segredo para depois lhe entregar embrulhado. Quando receber no futuro esse possível presente, que se dane tudo e viva alegremente.

Belos devaneios. Curiosidades interessantes, certezas absolutas, verdades perfeitas, elogios forjados, críticas sinceras, palavras que mentem, outras que jamais entenderão, o organismo desse livro pulsa, e não estou aqui para ser guru de ninguém, portanto, tire sua própria conclusão e aceite as consequências cabíveis, pois suas escolhas lhe colocaram onde está e assim para sempre será. Não há mocinho, nem vilão. Apenas há!

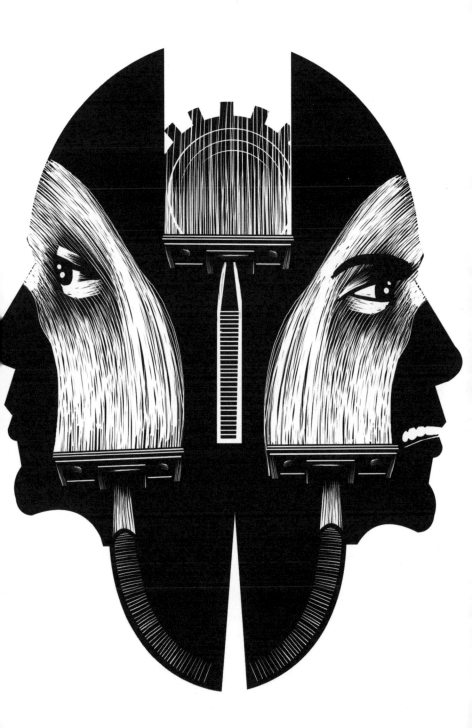

Das coisas que mudam o mundo

Hoje estava tomando banho, pensando na vida, olhando a água escorrer, quando tive uma ideia dessas que revolucionam a existência humana. Resolvi pegar um barbeador e raspar todos os pelos do meu corpo, com exceção da barba e do cabelo.

Comecei pelos pés. Tenho pelos nos pés. Raspei. Nos dedos do pé também, raspei. Depois fui para a canela e passei a lâmina, fazendo o primeiro corte de uma série deles, que sangram um bocado. Vale a pena ressaltar que essa iniciativa deu-se sem mais nem menos em meus pensamentos; não sei por que faço isso, será patológico?

Escolhi a perna esquerda; nela só tenho uma tatuagem: dois pequenos dragões que se encontram um pouco abaixo da patela. A quantidade de pelos que foram grudando entre as lâminas me deixou assustado e a cor da minha pele, que desconhecia, me lembrou leite em pó. Um pouco de sangue escorreu devido ao corte, e fiz pressão com um pano para estancar. Pareceu ter cortado bem em cima de uma veia.

Tudo bem. O vapor de água estava deixando o banheiro como se fosse uma sauna; por outro lado, dizem que isso é bom para abrir os poros. Fui raspando e raspando e não acabavam nunca os pelos. O chão do banheiro começou a ficar nojento. Quando cheguei à coxa, precisei trocar o aparelho, pois já não cortava mais nada. O sabonete acabou, o que me fez sair nu e molhado do box, deixando poças pelo chão.

A odisseia estava apenas começando. Pensei: "Maldita hora que resolvi seguir este impulso". Agora, não dava mais para ficar com metade da perna raspada e o resto cabeludo." Imagine só?

Continuei a saga. Para raspar atrás da coxa, tive que fazer um contorcionismo, sendo que me cortei na lateral do joelho e voltou a sangrar.

Senti-me ridículo, mas não podia parar, e segui firme e forte raspando cada pelinho que aparecia no caminho. A parte posterior foi complicada, mas não conseguia enxergar onde tinha e onde não. Levantei a perna e coloquei o pé na parede, fui com o barbeador onde não consegui chegar. Perto da bunda fiquei tenso. Na virilha, também achei melhor não arriscar, pois me veio à cabeça que, quando começar a crescer, vai arder, coçar e irritar.

Fui para a perna direita. Com bastante cuidado raspei os pés para não perder mais sangue. Os dedinhos também; que ridículo raspar os dedinhos. O ralo começou a entupir. Tirei os pelos e fui grudando na parede. Usando a segunda lâmina, demorei uns quinze minutos para conseguir depilar toda a batata da perna, a panturrilha, em linguagem técnica. Dei um corte no tornozelo e voltei a sangrar. Se entrasse alguém naquele momento, pensaria que estava cometendo suicídio.

Ao passar pelo joelho, encontrei uma cicatriz que estava escondida há tempos. Uma vez, jogando futebol na praia, caí e bati em uma quina de concreto que estava por baixo da areia. Tomei quinze pontos externos e cinco internos. A marca é bem maior com a pele exposta. Fui descobrindo também um montão de pintas e sinais de nascença. A Santa Bárbara que tenho tatuada ficou resplandecente e com uma cara mais bonita. O fato de ter essa penugem densa esconde os traços do desenho. Fazer o quê? Nasci assim.

Já estava sentindo tontura e falta de ar quando comecei a raspar o que faltava. De saco cheio, fui até o final. Em algumas partes tive que usar a mão esquerda e tomar cuidado para não me cortar mais.

Resumindo, foi uma experiência extraordinária. Aconselho todos os homens que estiverem sem nada para fazer que raspem seus pelos do corpo.

Quando finalmente acabei, fui me olhar no espelho e estava parecendo uma criança. A sensação era de que aquele corpo não era o meu.

Aquelas pernas não eram minhas ou não se pareciam nem um pouco com aquelas de antes da experiência. *risos*

Terminei o trabalho com o chão imundo, a parede cheia de cabelos por todos os lados, o ralo entupido, poças enormes do lado de fora do *blindex*, com vontade de vomitar, com as pernas sangrando e cansado. A toalha que usei parecia ter saído de um filme de terror: ficou toda manchada.

O contato com a roupa já me mostrou que a sensibilidade da epiderme estava alta.

Lembrei do futebol que tenho essa semana, na quinta e no sábado. Já deu para perceber que terei problemas quando os fios estiverem em crescimento, quando uma coxa esbarra na outra.

Acho que não farei isso nunca mais na vida, mas precisava entender como seria.

Não é nada, me rendeu este texto, altamente elucidativo, educativo e higiênico.

O lado bom é que agora passo a mão em mim e sinto a pele macia – *risos* –, sexy, não?

Será que a minha masculinidade pode ser afetada por isso?

Hum.

Isso não é um protesto contra nada. Só me deu vontade.

O agora não pode ser depois

Por mais simples que a obviedade deste momento possa representar, em termos práticos, ao começo de um texto que questiona justamente o recomeço de todos aqueles seres da espécie humana, que prosseguem aguardando a chegada do fim do ano ou início do ano novo, para marcar o ponto final de uma fase ou começar projetos novos, calhou uma ponderação de minha real existência, nesta existência, neste exato momento e resolvi não deixar escapar (foge, doidão). Reconheço que isto seja tão natural quanto ter um relógio, ou como marcar o corpo com uma tatuagem. E creio que, em algum ou em alguns momentos, isso possa acontecer na cabeça de qualquer um de nós.

As obviedades das obviedades por efeito estético apenas. Mas resoluto.

Medo é a fé ao contrário. Não devemos temer o que temos a viver.

O que não é óbvio para mim é não refletir sobre o amor, sobre a saudade, sobre as esperanças (depois de um período de desespero, no sentido da ausência da tão necessária fé no que não depende de você mesmo), chega um momento da vida em que você precisa amadurecer o pensamento e revisitar antigos calabouços onde ficaram guardadas as suas lembranças mais sujas, ou quebrar os trincos daquele antigo porão onde havia coisas lindas acomodadas e que, por um motivo qualquer que pudesse explicar o tal esquecimento, simplesmente desapareceu do seu campo de memória. Como se nunca tivesse existido, ou pior, como se não merecesse estar dentre as recordações mais valiosas de suas experiências nesse lugar. Alguns valores podemos mudar, por uma questão de inteligência e respeito por opiniões que possam transformar nossa visão do mundo (jamais por imposição), outros se perpetuam justamente por serem pilares importantes, não só para um ou mais grupos, e sim para todos que convivem juntos, ainda que em guerra.

Verificar os aquários, as jaulas, as cadeiras ou quaisquer instrumentos desses que estejam servindo como prisão de certos elementos que já deveriam ter sido libertados. Como eu, que vos escrevo agora.

Sou esta parte de mim, que tomou o controle por hora, como se fosse uma manifestação esquizoide, porém, completamente consciente do efeito que isso possa causar (respiro) até em mim mesmo. A transformação constante do lagarto. É a primeira manifestação da data que seguirá nos próximos 375 dias. E por que não experimentar mudanças de pequenas atitudes? Buscar ou, pelo menos, tentar alcançar o ato de pensar na melhor forma de se atingir os objetivos, sem grandes estragos internos, a menos que o objetivo seja o estrago interno, e posso lhes afirmar que, sem ele, jamais teria chegado até aqui. É o método de Shiva. Destruir para reconstruir, e de preferência, melhor e mais forte. Todavia, existe uma fase em que precisamos entender: usufruir das colheitas é a garantia de que a plantação valeu a pena. Ignorar a chance de provar dos frutos é o mesmo que virar de costas para o pôr do sol em seus últimos raios do dia. Usufruir e livrar-se de toda a culpa. A culpa é o resíduo que fica na alma quando acreditamos que não merecemos certos prestígios. Existem centenas de tipos de culpas sendo espalhados como vírus por diversos tipos de atitudes, ações e intenções, uma espécie de HPV da consciência. Pode parecer pesada a associação, e é, na verdade, o peso do contrapeso.

Em quanto podemos avaliar a companhia de pessoas que te levam a constantes reflexões importantes? Não creio que seja possível mensurar isso em dinheiro. Quanto vale consagrar momentos inesquecíveis com seres que você ama ou admira (partindo do princípio de que, para garantir o amor, o quesito em questão deve estar incluso), ter o sorriso sincero de uma criança? É uma quantia cuja moeda só pode ser manifestada em gratidão.

Para que isso tenha ocorrido, este de mim teve de se permitir ser um pouco daquele que prefere se esconder para não se ferir, ainda mais nesse mundo estranho e muitas vezes vil. Mas que precisa respirar para não morrer sufocado entre as camadas que o envolvem. E esse oxigênio salvador pode inspirar novas formas de poder. Entenda poder como for capaz.

Existe uma parte de nós que pode ter se desprendido da usual por uma questão de defesa. Existe a parte que assume para o ataque, a que surge para manter a sobrevivência, a que vem para a prosperidade, e espero que todas se manifestem no momento adequado, de forma eficiente e sem passar por cima da outra. Desse equilíbrio é que se faz o grande mistério dessa vida.

Há quem busque em Deus e quem prefira usar a razão. Mas não seria exatamente o intermediário das duas? E quem define as doses? O quanto somos influenciados nessa decisão? Lembra da culpa? Dos pecados, da arrogância, do egoísmo? E como falar do ego como se ele fosse um espírito e não aquele que nos guia na maioria das vezes? Entender o ego é diferenciá-lo do egoísmo e depois do egocentrismo. O ego é como um soldado em busca da autopromoção. Ele pretende chegar à maior patente de todas, e quando isso acontece você deixa de ser quem é para ser quem pensa que é. Nesse instante, é como se o canal fosse mudado naquelas televisões a válvula, e torna-se muito fácil confundir tudo e deixar de ver o valor nas coisas mais simples.

Parte de mim, que vos escreve, tem conhecimento de que é preciso amadurecer muitas questões para que a fusão com o elemento dominante no momento (é divertido falar de mim como se fossem vários dialogando ao mesmo tempo) perdure de forma a conseguir se adaptar e vencer os obstáculos sem perder a essência. No meu caso, a essência de luta, que é muito fácil de ser confundida com rebeldia entre outras conotações passíveis de escárnio nos dias atuais. Dias de pasto.

Não possuo certezas, possuo muitas dúvidas, e não é isso que lhe move da posição de conforto constantemente? Por que não usufruir do conforto também, de vez em quando?

Fruto de um pensamento que foi plantado nesses últimos dias.
Uma semente que pode render frutos interessantes, inspiradores.
Quando reconhecemos o amor, reconhecemos muitas vezes pelo medo da perda desse amor. É um sintoma, não o único.

Essa parte de mim que vos escreve é a que ama muito, de verdade, ama as pessoas, a vida, o mundo, os filhos, a família, a mulher, os pais, os irmãos, mas que tem tanto temor dessa dor, que prefere permanecer oculta. Contudo, foi despertada e pretende assumir os comandos um pouco com a intenção de experimentar fontes novas de energia. Alimentar o que também é necessário para viver algo pleno.

Continuo com meu espírito mundano, cheio de tormentos e desejos. Porém, preciso me deixar guiar, vez ou outra, por essa voz mais calma que percebeu que a paz é o motivo da guerra.

O mais difícil de qualquer amor é equilibrar o medo da perda.

O melhor de se usar a palavra "qualquer" antes do "amor" é que cada um interpretará este texto com a visão que tem do amor neste exato momento.

O agora não pode ser depois.

Ooooooooooooooooooooooooo

E o sol cruzou o espaço.
Encontrou o outro lado do mundo.
Em busca da luz, lá vou eu mais uma vez.
Quero cantar para vocês.
Quero sorrir um sorriso sincero.
Luzir as estrelas, os planetas,
traçar a órbita da Terra.
Vidas tão diferentes, tão distantes,
sentidos opostos, horários trocados.
E a noite virou dia.
Quem diria?
Logo eu, companheiro?

Sem destino, sem rota, sem rotina.

Fecho os meus olhos e estou tão perto de você.
Parecia tão distante quando fui dormir.

Mas sou um sonhador.
E permaneço acreditando.
Enquanto estiver dormindo,
Estarei por lá, cantando.

O sol é vermelho.

Sou de carne, osso e coração.
Chamo-me determinação.

Meus pés não fogem do chão.
Não tenho medo de viver.

Estou aqui,
agora,
e pronto.

Eu amo o que faço.

Pronto!

Beijos amigos.
Sigo em direção ao outro lado do planeta.
Depois lhe conto.

Luz e amor.

Teoria ou prática?

PS: Quando para você voltei meus pensamentos, imaginei um mundo colorido em lápis de cera. Tipo desenho de criança feliz no muro branco da escola. Aos poucos, fui lhe construindo cristalina como o mar em dia de verão, ao sol de fevereiro.
Um carnaval de sonhos ímpares.
Provei um grão do seu beijo, que tanto desejava
em secreta sintonia.
Sabe quando liga o rádio do carro e
escuta imediatamente aquela canção que faz sorrir?
Pois foi assim que lhe chamei pela primeira vez, para ouvir meus segredos, feito adolescente angustiado com medo do futuro, traçando milhares de planos sem efeito.
Você acreditava em mim.

E eu acreditei em você.

Como acreditei na mágica que o mágico fez bem diante dos meus olhos atentos, retirando de sua cartola um coelho lindo de orelhas peludas e um ar de quem pensava:

"Deixe-o crer que está abafando".

A calma daquele coelho não condizia com a situação.

Parecia esconder alguma atitude premeditada, como se quisesse, a qualquer momento, revelar por que meandros entrava naquele chapéu.

Voltei para casa, certo de que a magia só se torna real quando existe cumplicidade em seus íntimos.

Quando para você voltei meus pensamentos, estava certo de que pudesse navegar em águas tranquilas sem somatizar tédio, feito feriado na quinta-feira de chuva, assistindo na televisão àquela novela chata enquanto os pés cismam em conversar.

De longe, no meio do oceano, na América Latina, vi o pôr do sol e lhe encontrei em cada raio que ultrapassava as nuvens.

Esperei por tua voz, como quem espera a sentença de liberdade.

Mas...

Deixe isso para lá.
São apenas teorias.
Minhas teorias.
Placebos.
Incapazes de produzir milagres.

É isso.
Assim vou indo,
como quem vai ao teatro e assume o personagem.

Beijos sãos.

Aperte o verde

Vou acreditar em quem?
Na TV?
Nos jornais?
Em você?
Nos meus pais?
Em Jesus?
No destino?

Quem nos conduz?

À esquerda?
À direita?
Os latifundiários?
A indústria farmacêutica?
Os bancos?
A segurança privada?
Os planos de saúde?
A educação particular?

De onde vem a verdade?

Da Igreja?
Do Congresso?
Da Constituição?
Do progresso?
Do capitalismo?

Podemos, de fato, ser iguais?
É espiritual?
Está no comunismo?
Onde está o manual?

Somos puta especulação?
Todos têm razão?
Todos querem seu lugar de destaque.
Todos querem sua fatia, seu sossego.
Alguns com mais disposição.
Outros com menos pudores.
Ambição, sedução, pecados, temores, apegos.

Vende-se uma felicidade.
Cada um compra a que quer.
Há quem considere a fama, poder e fortuna.
Há quem busque um ganha-pão, um homem, uma mulher.

De fato, somos uma soma de somas, divisões, subtrações.

Abstrações, conclusões, confusões.
Existe sorte, existe determinação, existe boa vontade.
Existe preguiça, existe ignorância, existe maldade.

Existe amor, compaixão, esperança.
Mas nada é tão inspirador quanto a chegada de uma criança.
Terá uma trilha inteira, páginas em branco a serem preenchidas pela frente.
E qual será o futuro que deixaremos de herança?
O que estamos fazendo por essa gente?

Vou acreditar que sim.
Vale a pena a luta.
Mesmo vivendo em uma nação.
Cercado de filhos da puta.

Vou acreditar em quem?

Vou acreditar em você.
Tá creditado.
Aperte o verde e confirma.
Confirmado.

Agraciado estava...

Agraciado estava aquele indivíduo, caminhando pela calçada de Copacabana, sorriso no rosto, contracheque no bolso, todos recebidos com atraso, mas recebidos. Pensava logo em pegar o ônibus e retornar ao seu pequeno, mas valoroso lar. Não entendia nada de gramática, nem de política, nem de filosofia, nem de economia, nem de engenharia, de medicina ou de matemática. Não se interessava por futebol; nem time tinha. Não pulava carnaval e nem bebia cerveja ou qualquer derivado alcoólico. Só fazia amor com sua mulher, seu casamento já durava 35 anos. Desde que colocou aliança nos dedos, nunca mais a retirou. Rezava todos os finais de semana na igrejinha próxima ao bairro onde morava. Não fumava, não usava qualquer tipo de entorpecente. Quando adoecia, aguardava pacientemente na fila do hospital público por horas e horas sem reclamar. Aliás, não reclamava de nada. Não tinha o hábito da leitura, nem de jogar palavras cruzadas. Não jogava dama, nem xadrez, nunca foi no bingo e achava graça dos amigos perdendo moedas em máquinas caça-níquel. Dedicava seu tempo livre ao pequeno jardim que tinha nos fundos de casa. Não usava celular e a linha telefônica que possuía servia apenas para comprovar residência.

Agraciado estava aquele indivíduo, caminhando pela calçada de Copacabana.

Parou no ponto e aguardou seu coletivo passar. Embarcou e procurou um lugar para se acomodar de pé. Gotas de suor escorriam por seu rosto. Os cabelos ralos, a pele morena, o desodorante popular, uma camisa de botão semi-aberta e um calor infernal. Mas ele permanecia inabalável. Os buracos na pista sacudiam o veículo, barulhos de buzina, de motor, de freadas e arrancadas. Fechava os olhos, respirava fundo e sorria. Com aquele dinheiro no bolso poderia pagar todas as contas atrasadas, os cobradores mensais que perturbavam seu sono. Poderia até comprar um brinco novo para sua esposa. Ele amava aquela mulher. Confiava plenamente nela. Dizia ser sua bênção divina, um presente de Deus. Não tinham filhos.

Vaga um lugar a sua frente. Ele senta ao lado de uma mulher. Coloca a cabeça no encosto e tenta cochilar um pouco.

Lá vem de longe. Voando. Veloz.

Lá vem de longe, de um disparo de luz. Lá vem.

Rasga o vento zunindo pelos ouvidos dos pássaros. Lá vem ela.

Girando em torno do próprio eixo, sem destino, sem rumo. Lá vem.

Explode pelo vidro da frente. Estilhaça pedaços que se espalham pelo chão de metal. Segue em direção, qual direção?

Ninguém a viu, apenas se ouviu.

Velozmente se aproxima. Penetra no tecido epitelial. Arromba o poro sudoríparo, destrói a terminação nervosa livre, segue em direção ao músculo eretor do pelo, atravessa a fronteira com a hipoderme, ignora o tecido subcutâneo adiposo, esfacela o osso, invade o cérebro. Busca um abrigo dentro daquela cabeça. Diminui a velocidade até parar, alojada na órbita facial.

Ouvem-se gritos. Correria. Gente caindo para todos os lados.

Freio, telefonemas e mais gritos. Tempos depois, sirenes, ambulância. Choro.

Ele apenas escuta. Calmo, como se estivesse anos-luz daquele tumulto.

Agraciado estava aquele indivíduo.

Lembrou-se de quando esteve na escola por pouco tempo. Da professora que lhe ensinou a escrever e a ler o suficiente para não ser enganado. Dos amigos de infância e de quando ainda se interessava por futebol. Relembrou o sorriso de sua mãe, a curiosidade por saber quem era seu pai, o dia em que conheceu sua esposa e da primeira vez em que tocou seus lábios.

Tombou para o lado, sem movimentos.

Cada piscar de olhos parecia longos flashes, e foram três ou quatro no máximo antes de embarcar no breu.

No último, viu um homem se aproximando. Sentiu suas mãos em seu bolso.

Tentou esboçar algum som, mas não teve forças.

Sumiu do planeta.

Paz.exe

Um menino de rua, vagando pelo Rio de Janeiro, observa uma aglomeração de pessoas na praia de Ipanema. Chama seus companheiros e todos ficam olhando de longe os "bacanas" conversando, se organizando, movimentando faixas com dizeres que mal conseguem ler, pelo simples fato de não terem frequentado uma escola por tempo suficiente.

O garoto pega uma latinha e começa a puxar com a boca seu conteúdo e uma sensação estranha toma seu corpo, como se aquele passaporte desse o direito de esquecer tudo o que está acontecendo na sua vida de 14 anos para cá, quando num piscar de olhos fora expelido de uma barriga por uma parteira no alto da favela, de frente para a imensidão da vista que deslumbra os turistas americanos na zona sul do Rio.

Não soube explicar o que aconteceu depois daquele "milagre"; sua memória lhe permitiu evoluir os pensamentos até os sete anos, quando resolveu que não suportaria mais a gritaria dentro do seu barraco. As agressões constantes por parte de seu padrasto alcoolizado, que espancava sua mãe praticamente todos os dias. Ela lavava roupas para a classe média, e ganhava o suficiente para comprar uma cesta básica, que mal dava para alimentar seus quatro irmãos.

Sua vida, no início, era até um pouco mais organizada. A mãe, dedicada, o obrigava a ir para a escola pública, onde conheceu outros meninos com vidas muito semelhantes. Quantas vezes eles não saíram de lá assustados com os tiros que partiam dos fuzis possantes dos traficantes, protegendo seu comércio da tentativa constante de invasão, por parte do grupo rival. Ele não entendia muito bem o que se passava ali. Depois de um tempo, passou a ser normal ouvir tiros e bombas, chegar em casa e ver a mãe chorando, encontrar cadáveres nas escadarias da comunidade. Quando fugia da aula, ia para a praia e ficava encantado com o mar. Ainda moleque, jogava futebol com os coleguinhas e essa era a parte mais legal do seu dia.

Percebeu, então, que existiam duas vidas para serem sobrevividas: uma dentro do barraco, para o qual sempre voltava à noite, depois de passar o dia perambulando pelas ruas, e a outra, que o colocava em contato com uma rotina de violência constante.

Não foram poucas as vezes em que tomou tapa na cara dos policiais que faziam ronda pela região.

Um dia, quando voltava da aula, encontrou um tumulto perto da porta da sua casa e viu seu padrasto sendo espancado por um grupo de homens, que o violentavam mais ou menos como ele via o marido de sua mãe fazendo com ela. Mas notou que algo estava saindo do controle: o padrasto estava ensanguentado, espumava pela boca e sangrava muito. Veio um sentimento de vingança em seu coração.

Por tudo que já tinha visto, aquele homem merecia isso mesmo. O que ele não esperava era entrar na sua casinha e encontrar sua mãe com uma faca de cozinha cravada nas costas, seus irmãos em desespero e uma cena que jamais sairia de sua cabeça.

Aquilo feriu profundamente sua alma. A vontade de chorar era imensa, mas a dor não permitiu. A mãe batia nele às vezes, quando ficava sabendo que não estava estudando, ou fazendo os pequenos trabalhos para ajudar em casa mas, afinal de contas, um menino de dez anos, realmente tem que trabalhar?

Ele não chorou.

Saiu em silêncio, caminhou até uma escadaria e depois correu com a sensação de estar completamente sozinho. Suas fugas sempre encontravam um olhar de perdão de sua mãe, que agora estava no céu. Ela costumava dizer para ele que os amiguinhos que perdera estariam esperando no céu para que pudessem voltar a brincar. Prematuramente, o menino teve que aprender a conviver com a violência constante a que era submetido. Vagou, vagou, passou a noite na rua e com o tempo foi se tornando parte da paisagem invisível do Rio de Janeiro. A fome que sentia fez com que cometesse alguns furtos: não era da índole dele. Afinal de contas, ele gostava de jogar futebol; queria ser como o Ronaldinho, que vira ser celebrado como um deus, nos jogos do Brasil que passavam no boteco da favela. Mas não tinha o que comer. E onde ele passava para pedir algum trocado ou alimento, viravam a cara. Como ele, outros tantos tinham histórias parecidas para contar. Arrumou umas bolinhas de tênis e resolveu fazer malabarismo na frente dos carros, quando o sinal fechava. Ganhava em troca um monte de cara feia quando se aproximava do vidro, algumas ofensas e, eventualmente, uma moeda ou outra para comprar um pão. À noite, quando ia para a praia de Copacabana, observava os prédios gigantes e suas luzes acesas, ficava pensando no que acontecia lá, em como deveria ser a vida daquelas pessoas. Não lhe passavam muitos pensamentos bons, porque os doze anos de vida, até o momento, só haviam trazido más recordações.

Foi quando um de seus colegas chegou com uma lata de cola e ofereceu, prometendo uma fuga imediata daquela solidão. Ele não tinha por que não experimentar. Cheirou a cola e se sentiu distante de tudo, num outro planeta, protegido como nunca antes, com vontade de sorrir, como nunca tivera motivo, e com o fim do efeito, o menino pediu mais e mais e mais... Os dois se juntaram a mais três e formaram um grande grupo.

A falta do que fazer durante o dia gerava pensamentos obscuros em sua mente. Um dos meninos, que já havia feito pequenos trabalhos para os traficantes, começou a contar como se ganha dinheiro fácil alertando os comerciantes de drogas, soltando rojões quando a polícia chega. "Dá para comprar os tênis iguais aos dos playboys", dizia ele.

Dava para comprar mais um monte de coisas.
Dinheiro... Precisamos de dinheiro.
Precisamos comprar.
Precisamos ter.
Mas não temos, e o que vamos fazer então?

O tempo foi passando e a inevitável experiência de rua fez com que fosse perdendo sua inocência: as surras da polícia, as brigas com grupos rivais, as noites de barriga vazia, os carros que arrancavam com sua presença, a indiferença das pessoas com a sua dor. A mente continuou bombardeando sua cabeça de informações – as únicas que possuía, lógico! Violência, brigas, confusões, tiros, bombas, porradas, pesadelos... Seu coração foi congelando e ele já não queria mais ser como o Ronaldinho, porque, afinal de contas, ele não tinha nem o que comer... Como poderia ser um bom jogador?

Voltou para o morro, conheceu alguns aviões e passou a levar drogas para as ruas, nos bares próximos da favela, ganhando um dinheiro fácil. Era arriscado, ele sabia, mas valia a pena. Nunca mais vira seus irmãos... Sabia que um deles tinha sido assassinado; os outros deveriam estar passando pela mesma coisa.

Com 13 anos teve a sua primeira experiência sexual; os hormônios latejavam em sua cabeça. Conheceu uma menina na rua e os dois transaram simplesmente porque estavam com vontade, feito totalmente pelo instinto animal que habita a natureza humana, sem amor. O que é amor? Nenhum dos dois teve um contato próximo com esse sentimento, queriam fazer o que lhes dava uma sensação de prazer... e fizeram um montão de vezes, porque era a melhor coisa que já experimentaram depois da cola. Transavam feito loucos, sem cuidado algum. Não existe nenhuma informação em seus cérebros sobre os riscos de contaminação, sobre gravidez, sobre qualquer outra coisa...

Passou a procurá-la todas as vezes que sentia vontade. Mas logo a menina não estava mais lá. Ele não sabia onde encontrá-la e ficou por isso mesmo. Depois descobriu que a garota, que era um pouco mais velha, estava ganhando uma graninha fazendo o que eles faziam juntos. "Cada um se vira como pode, né?", pensou.

Mas agora ele estava lá, com seus 14 anos, olhando a aglomeração dos bacanas.

Viu fotos nas camisas, viu algumas pessoas com raiva, outras gritando palavras de ordem...

Uma senhora que passava perto parou e olhou para ele.

Os dois trocaram olhares curiosos e ele perguntou o que aquelas pessoas estavam fazendo reunidas na praia em sol de meio-dia, com todos aqueles aparatos...

A senhora respondeu:

– É uma manifestação pedindo paz.

– O que é paz? – perguntou o menino, com um olhar curioso.

– Paz? Boa pergunta, como posso lhe explicar o que isso significa. Você sabe o que é o amor?

– Não!

A senhora, inquieta, tentou explicar.

– Amor é um sentimento bom que temos pelas pessoas queridas, de pai para filho, de mãe para os seus filhos, de irmão para irmã, entendeu?

– Não... Não tive pai, minha mãe foi esfaqueada por meu padrasto, que morreu espancado na porta da nossa casa. Meus irmãos eu nunca mais vi.

A senhora ficou constrangida. Não sabia como explicar o que era o amor àquele menino.

– Bom, vou tentar de outra forma. Você já viu novela?

– Vi, mas não tenho paciência para aquilo, não... É coisa de mulherzinha!

Ela notou que seria difícil definir amor. Sem definir amor, seria mais difícil definir paz, e assim, ele nunca entenderia o que aquelas pessoas estavam fazendo reunidas com bandeiras e faixas.

– O que é paz, afinal?

– Meu filho... Paz é compartilhar de sentimentos bons com as pessoas, é se sentir seguro, é estar livre da violência, é se sentir tranquilo e feliz.

Aquilo parecia não fazer o menor sentido para o menino, pois ele nunca experimentara nenhum daqueles sentimentos.

– Não compreendo.

E não compreendeu mesmo.

A senhora foi embora, frustrada porque não conseguiu explicar ao menino o significado de duas palavras que tanto os seres humanos desejam. Foi pensando em como parecia imbecil ver aquelas pessoas egoístas pedindo paz, sem perceber que para se ter paz é preciso ensinar a paz.

E que, como aquele menino, existem milhares e milhares de outros que estão por aí convivendo diretamente com a antítese dessa sensação, sem ao menos vislumbrar a possibilidade de existir outra forma de vida neste planeta. Percebeu que, entre a calçada que se aglomeravam os meninos e a manifestação burguesa, existia um abismo muito maior do que poderiam imaginar ambos, e que aquilo tudo nunca teria um efeito real.

Lembrou que já pedira paz...

Que já quis fazer parte desse evento, porque teve vítimas da violência em sua família, porém, reparou que realmente será impossível explicar a esses meninos o verdadeiro significado dessa pequena palavra.

Eles nunca experimentaram a sensação da paz e do amor.

Estão rodeados de maus sentimentos, maus exemplos.

Por um segundo, preferiu não ter tido contato com ele.

No momento seguinte, percebeu que não existe uma solução simples para esse problema, que não adianta ficar em casa de braços cruzados pedindo paz... Chegou à conclusão de que vai chegar sua hora em breve e que não vai poder explicar àquele menino que existem outras formas de vida. De que vai embora daqui sem compartilhar a paz.

O menino ficou lá, cheirando sua cola e rindo daquilo tudo.

Logo mais à noite, quando estava dormindo, foi atacado por um grupo de adolescentes de classe média, praticando segundo eles "justiça com as próprias mãos" e morreu ensanguentado na calçada sem saber o que significa amor ou paz.

Lá de cima, alguns anjos choram...

Perceberam o quanto os homens se perderam em seus instintos mais sujos, como a desigualdade, o preconceito, a injustiça e tantas outras questões que estavam jogando uns contra os outros.

Perceberam que, na verdade, não existem vítimas ou algozes, que todos estão afundados em seus argumentos egoístas, preocupados somente com suas próprias vidas como se fosse possível se isolar em um mundo de utopias, se trancando e se cercando de grades para obter uma falsa sensação de segurança.

Para entender melhor essa história, faça como os manifestantes que ficam por aí pedindo paz sem oferecer soluções para isso...

Digite no seu computador, na pasta de busca por arquivo, um arquivo chamado:

Paz.exe.

Provavelmente ele vai retribuir com o seguinte:

Arquivo não encontrado.

CLUBE DA INSÔNIA

A visão do gato

Para começar, estava eu numa loja de um shopping, triste porque esses seres que se acham os donos do mundo me separaram da minha mãe e dos meus irmãos. Tudo por uma questão econômica, comercial, uma necessidade humana de acumular isso que, graças ao deus gato, não precisamos, que é o tal do dinheiro. Tá certo que, historicamente, minha espécie, desde o Egito, fora domesticada pelos homens, embora vocês pensem que têm o controle sobre nossa vida, no fundo sabem que não dependemos absolutamente de nada que nos oferecem. Desde que não nos tranquem em um lugar onde não exista uma saída, nós sabemos nos virar muito bem. Gato não morre de fome.

Gato morre por outros motivos, principalmente pelo sadismo de vossa espécie. Como podem observar, também acabamos nos apossando da personalidade daqueles que se acham nossos donos (gargalhadas por dentro). Minha convivência com esse rapaz por quem tenho muito carinho me fez um gato "questionador" (mais gargalhadas por dentro).

Estava sentado no seu colo enquanto me acariciava e por acaso li (pois sabemos mais do mundo do que imaginava sua vã filosofia) seu texto paranoico e conspiratório, refletindo sobre sua/minha existência. É patético achar que nós somos câmeras infiltradas por um sistema superior que comandaria as ações da humanidade e, desculpe-me a sinceridade, ainda que fôssemos o que ele imaginara, é muita falta de modéstia achar que alguém precisaria colocar esse mecanismo para vigiá-lo. Quem ele pensa que é? Bom, voltando à parte que me cabe.

Se ele pode se esconder em seus momentos íntimos, seja uma questão de moralidade ou não, nós não nos importamos em ver absolutamente nada que vocês fazem quando resolvem copular. Para nós, isso é absolutamente natural. Nós copulamos no meio da rua, nas calçadas, no mato, em qualquer lugar, sem nenhuma preocupação estética ou mesmo moralista. Afinal de contas, para que minha existência nesse mundo insano fosse possível, foi preciso um ato de amor animal para a criação de tão especial vida. Não sei do que vocês se envergonham tanto.

Vocês são esquisitos, têm vergonha de fazer amor, de ver os outros fazendo amor, mas não têm vergonha de matar, de agredir seus semelhantes e a nós, animais, que pertencemos a uma natureza comum. Aliás, todos somos animais, mas vocês, por uma prepotência elevada a uma potência infinita, vão discriminando raças e espécies e dividindo o planeta entre legendas que, cientificamente, qualificam racionais e irracionais.

Será que nós, que convivemos harmonicamente com esse lugar, somos realmente os irracionais?

Enfim, ele tirou suas conclusões. Deu-me vários sustos, ficou me encarando feito um louco e, em várias oportunidades, achei que tinha surtado de vez. Onde já se viu fazer tudo aquilo que descreveu na maior cara de pau e ainda achar que estava certo? Ele sabe quem sou eu? Pois eu sei muito bem quem ele é também, mas não vou chegar e gritar em seus ouvidos o que penso.

Partindo do princípio de que fui comprado como uma mercadoria e trazido para um lar desconhecido por uma criatura que não tinha a menor ideia de quem seria, posso afirmar que tive sorte. Aqui sempre fui muito bem tratado. Tenho comida boa, cama, e até um banheiro privativo. Falando nisso, mencionou o quanto é inconveniente quando me pega no ato das necessidades fisiológicas? Acho que não pensou que poderia me incomodar.

Creio que estou me tornando tão prolixo quanto ele.

De volta de onde parei.

Tenho tudo, sim, do bom e do melhor. Sei, porque tenho a liberdade de vagar pelas ruas, e como não sou um gato playboyzinho que só vive dentro de condomínio, vejo a realidade. Misturei-me aos vira-latas que estão por aí e aprendi muito com eles. Aprendi a me virar sozinho, passava dias seguidos longe de casa na boemia felina, me divertindo com as gatinhas e conhecendo um mundo diferente desse cercado por muros e cercas eletrificadas. Nós não precisamos de nada disso, temos nossas diferenças também, eventualmente até trocarmos tapas, mas esse é o máximo de violência a que podemos chegar.

Comida nunca foi problema, existem pessoas boas que se preocupam com a gente. O pavor é quando apareciam aqueles adolescentes imbecis que gostam de fazer atrocidades, mas não vou relatar absolutamente nada sobre esse comportamento vergonhoso da espécie humana, pois todos sabem como são tratados os gatos por quem não tem sensibilidade para perceber que essa fama de traiçoeiro e tantos outros adjetivos negativos não passam de calúnia de quem precisa arrumar alguma justificativa para seu comportamento racista.

Peguei chuva, sol, rodei por diversos lugares, conheci muito gato legal e fiz contato também com outros metidos a malandro. Malandro todos nós somos, amigos. Nascemos de bigode e tudo (gargalhadas)!

O problema todo aconteceu quando, um belo dia, fui capturado por meus "donos" (deixo que eles pensem assim) e levado a uma sala branca, onde me deram uma injeção. Não lembro de nada depois disso, acho que dormi. No entanto, quando acordei, ainda meio dopado, ouvi comentários que a operação fora um sucesso. Fiquei preocupado. Já havia conversado com outros parceiros sobre esse lance e, muitos dos que passaram por essa operação, acabaram trocando a vida boêmia por uma vida caseira. Eu não queria ser vítima desse ato covarde e cruel, porém, quando retomei minha consciência, percebi que meu saquinho fora cortado. Que puta sacanagem comigo! Fiquei muito puto. Não me perguntaram nada, simplesmente me castraram, tiraram minha maior riqueza, meu motivo para estar vivo, afinal o Deus de vocês não diz "crescei e multiplicai-vos"? Pois bem, cresci e estava me multiplicando, feliz da vida, e agora, agora sou um gato sem saco, não consigo mais cruzar com ninguém! As gatinhas não querem mais saber de mim e então vivo minha vida caseira.

Hoje já me acostumei, mas fico imaginando como seria se seres alienígenas resolvessem dominar o mundo e castrar os humanos. Deixa esse papo para lá que me deprime.

Continuo vivendo minha boa vida e, entre um cochilo e outro, dou umas voltas e me divirto com meus "donos", que me dão carinho, atenção e liberdade. Só não sei de onde ele tirou aquilo tudo que escreveu. Francamente, pensar que o que pensou de mim, é quase caso para internação. Acho que está vendo filmes americanos demais.

Atenciosamente,
Capone (gato amigo do Tico Sta. Cruz).

Memórias de um mundo careta

O mundo "encaretou" de vez.

A onda, politicamente correta, vai mascarando a hipocrisia como se fosse uma festa à fantasia. O acesso fácil à informação diluiu o conhecimento. É uma piscina olímpica, porém rasa, como uma banheira para bebês. Uma geração criada por outra geração, que foi criada para engolir sem mastigar. Recebemos uma herança de mingau: colheradas na boca e tapinhas no bumbum.

As redes sociais potencializaram o narcisismo exagerado. Tudo por seguidores; qualquer coisa para ostentar um grande número de "amigos". A matemática do reflexo na lama.

Opiniões calculadas. Assessoria para moldar imagem. *Personal* isso, *personal* aquilo. Vips, pulseirinhas, áreas reservadas para a "nata", ações solidárias para um bom marketing pessoal, a fama como objetivo em praticamente qualquer ambiente, seja para quem já a possui, ou para quem a almeja.

Medo. Muito medo de falar o que se pensa. De pensar e se aprofundar. Não vale a pena; em dois minutos o assunto já está repleto de teias de aranha. Um mar de piadistas de plantão, fazendo gracinhas com todo e qualquer assunto. Se antes qualquer um era modelo ou ator, hoje qualquer um é DJ ou *Stand Up Comedy*. Pobre dos verdadeiros profissionais de todos esses ramos. Digo, dos que têm talento.

A arte não serve mais para quebrar paradigmas, serve apenas para mantê-los.

Ganhando-se bem, que mal tem?

Uma TV que cultua a infantilização dos jovens, com valores distorcidos, desejos estranhos, todos voltados para uma cultura individualista. Entretenimento para robôs. Sem qualquer compromisso, apenas com o objetivo de concluir um curso qualquer e levar o canudo. Pais superprotetores, que educam seus filhos atrás de grades, grudados em computadores ou fazendo maratonas em shopping centers.

Aos mais pobres, o assistencialismo puro. Necessário em muitos casos, porém, puro. Sem muitas outras perspectivas. Muitos entregues ao próprio destino e seja o que Deus quiser. Pobre de Deus, responsável por tanta gente ao mesmo tempo. Gente que não quer assumir suas responsabilidades, à espera de um milagre.

A música pode salvar, o esporte talvez, o tráfico também. Coletes salva-vidas arremessados num mar de bosta do cada um por si e Deus que dê seu jeito.

Conseguir outras oportunidades para quem não tem nenhuma é uma tarefa divina.

Uma geração que tem sua grande maioria formada por uma gente covarde, que nem sabe o que é covardia, tamanha falta de discernimento de suas obrigações. Políticas voltadas para o "emburrecimento" da população. Filmes que exaltam apenas a perpetuação de um romantismo falido.

Há de surgir um transatlântico desgovernado que se choque nessa geleira e espatife toda esta crosta para todos os lados. Faça um estrago, abra um rombo para que entre água e descongele a mente dessa gente acomodada.

A bendita água do despertar.

Que preguiça, dessa gente careta e covarde, como cantava Cazuza.

Onde está o outro lado?

A oposição a isso tudo?

Acho que vou dormir um pouco e sonhar que existe a chance de uma reviravolta.

Sonhar ainda é permitido. Talvez em breve eles consigam invadir e controlar nossos sonhos também.

Raul cantou: "Sonho que se sonha só é só um sonho que se sonha só, mas sonhos que se sonham juntos são a realidade".

Renato Russo cantou: "Quero me encontrar mas não sei onde estou, vem comigo procurar algum lugar mais calmo, longe dessa confusão e dessa gente que não se respeita, tenho quase certeza que eu não sou daqui".

Fazer tudo ao contrário do que é pregado hoje em dia, talvez seja a melhor forma de não compactuar com esse conformismo tolo e com essa postura "certinha" para vender cosméticos e propagandas.

Ando tão confuso que é bem provável que nada disso faça sentido, que não seja para mim.

Mundo careta.

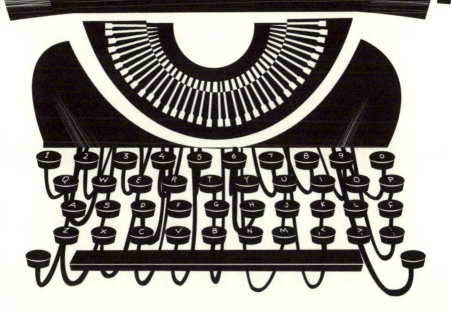

Direto da redação

Enquanto isso na redação:

– Já editou a entrevista ridícula desse desgraçado? Esse cara quer foder a gente. Mas a gente fode com ele nessa edição. Tá pensando que é quem? Deve ser muito ingênuo para achar que vamos publicar na íntegra esse blá, blá, blá, sem fim. Será o eterno *I wanna be*. No que depender de mim, essa figura jamais terá credibilidade. Deixa ele arrumando as encrencas dele e achando que vai se garantir nessas tais "novas mídias" que ele tanto defende. Carinha babaca. Acha que vai salvar o mundo? Vai lá fazer seus protestinhos de criança, Imbecil!

– Osmarrrrrrrr! Edita essa porra e coloca três frases dele, as três que não representem absolutamente nada de relevante, apenas para ocupar o espaço da coluna.

– Sim, senhor.

– Marcinha, Marcinhaaaaaaaa! Porra, quando eu te chamar você me responde imediatamente.

– Desculpe, editor. Estava no telefone com uma fonte importante.

– Qual é a novidade?

– Aquela moça que estava grávida, vai passear logo mais no shopping com o filho dela. A assessoria me pediu uma nota. Como não conseguimos flagrar aquele casal da novela que estava no show ontem, achei que pudéssemos aproveitar esta deixa.

– Porra, mas essa mulher acabou de dar a cria dela, não tem nem um mês, já vai levar o neném pro shopping? A criança deve estar com cara de chiclete ainda.

– Foi a informação que a gente recebeu. Será a primeira aparição do bebê em público. Mando o fotógrafo?

— Manda, foda-se! Se aparecer alguma coisa melhor a gente põe no lugar. O assunto do momento é a morte daquela moça. Temos que conseguir fotos exclusivas do velório. Sabe me dizer se nosso pessoal conseguiu um bom preço com os *paparazzi* lá fora?

— Olha, as agências estão cobrando uma fortuna pelas fotos. O Michel tá tentando negociar com um parceiro dele. O cara era colado nela. Foi o que nos vendeu a foto do dia em que ela tropeçou de bêbada, lembra?

— Sim, como esquecer? Belíssima foto. Dê um jeito de conseguir algum material. Esse assunto não vai durar mais do que uma semana.

— Peça ao João para pegar aquela matéria antiga sobre os perigos das drogas e apenas dar uma maquiada para não ficar parecendo que é a mesma de sempre.

— Ok, editor.

— Antigamente o artista morria, as pessoas ficavam comentando o mês inteiro, agora é plaft-pluft, morreu, acabou, já temos que arrumar outro. Vai ser difícil aparecer alguém como essa menina. Coitada. Nova que só, foi se meter com essas porcarias, viu no que deu, né? Vai lá, Marcinha. Tenho que cuidar das informações do atentado a bomba. Vixe, que desgraça. Uma fonte de almas foi para o espaço. Viu a cara do louco?

— Vi, louco completo.

— Pois é, vou fazer um levantamento sobre a infância dele. Deve ter tido algum problema sério quando era jovem. Provavelmente foi comido pelo avô. Vai, Marcinha. Coloca sua notícia no ar até o meio do dia, ok?

— Sim, senhor editor.

— Douglas!!!! Política... O que é isso que você me mandou?

— Um dossiê que recebemos da oposição, contém algumas denúncias sobre o novo ministro.

— Douglas, onde você estudou?

— Na UFU.

— Não lhe ensinaram nessa bosta de universidade o que fazemos num jornal?

— Como assim, senhor? Claro que nos ensinam que somos prestadores de serviços, e como jornalista, tenho compromisso com a divulgação de notícias de interesse da população.

— Da população, Douglas? Que população? Como jornalista deste jornal, que também é um mega portal de internet, você, Douglas, tem o compromisso com os nossos patrões. O senhor sabe quem são nossos patrões, Douglas?

— Desculpe, senhor, estou aqui há apenas seis meses. Sei a quem devo me dirigir quando tenho algo importante e o senhor é, no caso, o meu chefe aqui.

— Então, Douglas, vou explicar para você, apenas uma vez. Nossos patrões são os donos deste veículo de comunicação, logo, não podemos publicar certas denúncias. Precisamos verificar a veracidade delas, entende?

— Mas são denúncias comprovadas, senhor. Tive o cuidado de buscar e pesquisar tudo a respeito. Cada linha bate com o fato que estamos noticiando. Inclusive, quem mandou isso foi uma fonte ligada ao *Wikileaks*.

— Fodam-se o *Wikileaks* e aquele egocêntrico de merda! Não a nada que venha deste site, entendeu?

— Não sabia, senhor. Desculpe-me!

— Antes de terminar um trabalho como esse, que foi total perda de tempo, você deve saber que não escrevemos ou liberamos notícias contrárias aos interesses de nossos patrões e, assim sendo, devemos ter cautela com o tipo de contato que estamos alimentando. Para que fique claro, só divulgamos denúncias e outros tipos de notícias que possam ser prejudiciais para a imagem ou os interesses de nossos patrões quando todos os outros jornais já o fizeram, e mesmo assim, com muito cuidado, apenas para que não fique evidente para quem tem um pouco mais de conhecimento de como as coisas funcionam, quais são as orientações que seguimos.

— Sim, senhor, já sabia que isso acontecia, só não havia acontecido comigo antes. Mas compreendo totalmente.

– É bom que compreenda, Douglas, porque você entrou no lugar de um jornalista que veio me dar lição de ética jornalística e, se ele quiser dar lição de ética jornalística, que vá ser professor! Aqui na vida real, ou você trabalha de acordo com o que é a realidade, ou então toma consciência de que existem centenas de jornalistas na espera pela sua vaga!

– Entendo, senhor. Vou reescrever o texto e apenas colocarei os fatos que já estão sendo divulgados, não publicarei a denúncia.

– Muito bem, meu jovem. Assim você vai longe. Deixe-me terminar o serviço aqui. Obrigado.

O caderno de cultura já está fechado. Graças a Deus.

Todos os espaços devidamente vendidos.

A parte de esportes é o blá, blá, blá, de sempre, tenho que ver se consigo um espaço para aquela gostosa que faz assessoria daquele jogador perna de pau.

Enfim, posso tomar meu café.

– Madalena... Tudo bom? Lembra do convite que te fiz? Se ainda quiser aquele favor, eu te ajudo se você me der o prazer da sua companhia esta noite. Tudo bem pra ti? Ótimo, linda... Então te ligo mais tarde e, não se preocupe, a capa que você me pediu será toda da sua cliente. Beijos.

Eu subornei o Diabo.

Circo Fantástico

Para um pouco.

Espera aí!

Quando foi que você deixou de ser quem você era para se tornar o que os outros esperavam de você? Sabe precisar esse momento? Ele de fato aconteceu ou o tempo apenas agravou suas manifestações?

O que você deseja é o que você realmente deseja ou é um desejo que fundamentaram na sua cabeça? Você se faz satisfeito quando alcança seus objetivos ou logo esquece tudo e começa a procurar outras motivações? De onde surgem essas motivações, dos seus valores ou da disputa, da competição, do gosto por provar sua capacidade?

Esse lugar realmente lhe pertence ou te colocaram aí? Você acha que tem o controle de algo? A morte te assusta? O amor é a cura ou a sua doença? Você sofre por entender o que lhe cerca ou seu sofrimento é por não conseguir compreender como certos acontecimentos se repetem?

Toma. Sente a dor no centro do peito. A angústia latente, companheira da sua solidão. Você tem mais perguntas que respostas.

Que porra de mundo é esse? Virou tudo comércio?

Que porra de juventude é essa? Só estão felizes quando estão comprando e consumindo tudo o que lhes aparece na frente como gafanhotos nas plantações? Quem está ditando este ritmo? Quem está ganhando com este comportamento insano, onde pessoas são apenas figurinhas em álbuns nas Redes Sociais?

Onde estão nossos ídolos? Onde estão nossos pais? Onde estão seus pais? Onde estão os pais dessas crianças, desses adolescentes, desses rapazes e dessas moças?

Qual é a última novidade que preciso saber pra conseguir conversar com eles?

Estou com dificuldades para entender o que escrevem, assim como percebo a dificuldade que muitos deles têm de entender o que quero dizer.

Está difícil demais de acostumar com tanta indiferença, com tantos conceitos frutos de uma colheita de plástico. Estão nos transformando em plástico. Cérebros que estão esquecendo sua função.

Desculpe. Acho que estou enlouquecendo. Como saber se realmente estou?

Ainda busco entender quais rumos foram tomados, porque estou certo de que quem está conduzindo, não tem preocupação nenhuma com o que está deixando como herança para os que virão.

Pesquisas apontam que o jovem de hoje está mais voltado para o coletivo.

Mentira. É uma minoria.

Queria crer que diante de um questionário desses, sobre o coletivo, sobre as preocupações com o que cabe a todos nós, o cinismo não prevalecesse.

Estou perdendo a fé nos jovens?

Não.

Definitivamente o futuro é melhor que isso. Porque a natureza comprova que quando um grupo se prolifera a ponto de dominar o "ecossistema" e sufocar a coexistência de outros grupos, ele acaba se esgotando e passa a não ter mais para onde crescer.

Eu vou torcer pelos próximos. Pela geração que está chegando. Certo de que será da minoria que brotará a nova ótica e que essa nova maneira de participar do mundo contagiará a massa cega em fila indiana, e então uma nova fase começará com o equilíbrio entre o que há de melhor até o momento.

Enquanto isso, ficarei aqui, especulando por exercício. Apenas para não deixar que minha mente e minha cabeça se entreguem a essa forma que considero perigosa e até ridícula de se conduzir a vida.

Que a mente superior que conduz este planeta tenha piedade de nós, mesmo que por piada.

Plástico

Tudo será plástico.
Artificial.
Falso.
Pirateado.
Ilusório.
Fruto do anseio por mais.
Sem preocupação com o conteúdo.
Certamente.
Cérebros controlados.
Tempo cronometrado.
Regras convenientes.
Lavagem das mentes.
Mentiras.
Gosto pela destruição.

Vida descartável.
Vida de plástico.
Vida de cão.

Mares entupidos de esgoto.
Florestas repletas de prédios habitados.
Seres humanos enlatados.
Robôs domesticados.
Sem coração.

Menores cada vez mais precoces.
Crianças sem infância.
Jovens olhando para o céu.
à espera do milagre.

Prostrados como réus.
O prazer anulado.
A culpa como condição.

O cabresto apertado.
Ideias sem transformação.
Tudo igual.
O mesmo padrão de sempre.
A mesma sabedoria repetida.
A mesma semente.

Uma bola gigante girando pelo universo
congelando em fontes industriais
controlada por assassinas
todos levantando a bandeira da paz.

A paz que vende nas bancas
a paz que vende jornais.

Uma paz que só interessa quando jogada ao vento.
Que alimenta guerras.
Que se desfaz.
Como o protesto inútil por igualdade de condições.
Quem disse que isso é possível?
Quem são os heróis?

O plástico será o futuro.
De plástico estaremos entupidos.
Porque o plástico é eterno e nós, homens, não.

Vamos celebrar nossa intimidade vigiada.
Vamos celebrar a "plastificação" moral e intuitiva
dos caretas frustrados, porém, milionários.
Donos do destino da população.
Esta, que se importa,
desde que possa assistir TV
e ter suas esperanças anunciadas a preços acessíveis,
vivendo só por viver.

Sem um objetivo claro.
Apenas cumprindo um ciclo natural.
Entregues à própria sorte.
Achando tudo normal.
O seu último desejo antes de embarcar para o tal paraíso
te levará de volta a um novo útero.

E assim retornarás
ao exato lugar de onde nunca deveria ter saído.
O mesmo canal.
O mundo de plástico.
No planeta Terra.

Onde a natureza não vale nada.
Siga marchando.
Siga piedosamente, temente a um Deus.
Que, na verdade, são três.
Julgando por interesses dos sacerdotes,
o futuro não se prevê!

Entregue seu esforço a uma causa vendida na conexão
entre a palavra que lhe foi concebida e o real motivo da sua ex-
ploração.

Escravos.
Controlados por computador.
Drogas pesadas para suportar o terror.
Drogas essas vendidas pelos mesmos que te aprisionam
neste estado constante de sofrimento.

Porque para quem lucra vendendo mentiras
é muito mais importante o seu lamento.

Sinto muito.
Não quero fazer parte disso.
Mas é impossível!

Para não me tornar só mais um com o mesmo destino,
a mesma rotina, os mesmos contratos com a esperança
por um dia melhor, ou arrisco minha felicidade lutando
pelo que acredito, ou me entrego de vez ao que está ao meu redor.

Prefiro colher sorrisos.
Colher amor, bem aventurança.
Prefiro sentir que estou tranqüilo.
Compaixão.
Equilíbrio.
Harmonia.
Um pouco de ignorância para questionar.
Duvidar.
Viver para descobrir coisas simples.

Prefiro tentar ser feliz.
Prefiro tentar agora.
Prefiro tentar e acreditar sempre.
Prefiro que seja assim...
Antes que seja tarde demais.

Um...
Dois...
Três...

Corta!

- Muito bom seu texto, meu amigo. Agora volte ao seu lugar na fila. Você receberá uma carta se for escolhido para o papel. Boa sorte.
- Próximo!

CLUBE DA INSôNIA

Senado Finado

Nosso senado,
finado,
acovardado,
anda de braços dados com a impunidade e com a maledicência da nação.

A história marcará a dedos de sangue em páginas de vergonha,
qualquer que seja o futuro, essa é sua maldição.

E que futuro um povo omisso como o brasileiro merece?
Uma copa do mundo?
Uma cerveja no botequim?
Qual será o teu fim no final?
Embrulhado com saco plástico preto ou envolto em um jornal?
Terá velas no teu funeral?

O Senado é o pilar da picaretagem.
O judiciário dos juízes vendidos e dos juízes comprados.
Executivo dos partidos repartidos, divididos, sedentos de poder e riquezas como
ratos e baratas no final de uma festa imunda.
Inescrupulosos, caras de pau,
de terno bonito e linguajar intelectual.

Senado de MERDA!
CONGRESSO sem moral.

Senado de porcos lambuzados na lama da destruição.
Planalto central, isolado do resto do país por um oceano de corrupção.
Hipocrisia, indiferença, luxúria e fama.
Capina a grama e não reclama, que a deles é verde,
mas onde está tua grana?

Orgias programadas com o dinheiro do contribuinte.
E morre muita gente para pagar salário indecente para parlamentar "inocente".
Planta laranja adoidado e faz cara de coitado, fingindo-se digno e honesto
mas no voto do cabresto é que mantém seu curral.
Ninguém nesse país tem memória, é um país canibal.

E a sociedade?

A sociedade é passiva e gosta muito de protagonizar o papel de otário.
Faz por prazer, faz por lazer, faz tudo ao contrário.
Quando deveria se juntar para protestar,
vai para a porta do Maracanã trocar leite em pó por ingresso, e passa a noite jogando baralho.
No dia seguinte e três dias depois está no mesmo lugar com o mesmo salário.
Salário que, muitas vezes, não paga nem as contas de casa.
Repito: é salário de malandro otário.

É fila de hospital, altos impostos, crianças sem escola, gente morrendo de fome, na miséria, mas o que isso importa?

Importa é o gol mil do Romário,
é o rebaixamento do Timão,
é o jogo da seleção.

E os artistas?

Ah, os artistas são artistas demais para sair na pista.
Dá trabalho e tem que dar autógrafo e declaração.
Artista não tem nada a ver com isso, não.
Arte é diversão, entretenimento.
Se está pagando cachê bom, está dentro.
Não pode se comprometer com política para não perder espaço na televisão.
Lamento.

Algumas rádios de quem são?

Não tem disposição:
Para perder o incentivo fiscal para o filme ou para o espetáculo.
É melhor deixar quieto, "fica calado", diz o empresário.
Não se meta com isso, não.

Você anda declarando seus rendimentos de forma honesta, meu irmão?

E os estudantes?

Os estudantes, uns têm escola paga.
Estudam para colar na prova, tirar uma onda e passar no vestibular.
Quem tem para pagar não fica de fora de faculdade nenhuma.
Dá cem reais em troca, que a gente arruma.

Você finge que aprende, a gente finge que ensina, e assim segue o Brasil.

Mas e o movimento estudantil?

O movimento estudantil está ocupado.

O ponto é final.
Vai continuar tudo igual.
Quem rouba continuará roubando.
Quem morre continuará morrendo.
A lua volta para o céu à noite.
O sol volta para o dia ardendo.

Já está chegando o Natal.
Temos que comprar os presentes a prestação.
Feliz Ano-Novo,
quem sair por último que apague a luz do salão.